Y GEMYDD

I Mam
gyda diolch

Y Gemydd

Caryl Lewis

Argraffiad cyntaf: 2007

Dymuna'r cyhoeddwyr gydnabod cymorth ariannol
Cyngor Llyfrau Cymru

Cynllun y clawr: Sion Ilar

Rhif Llyfr Rhyngwladol: 978 0 86243 801 2
ISBN-10: 086243 801 2

Cyhoeddwyd yng Nghymru gan
Y Lolfa Cyf., Talybont, Ceredigion SY24 5AP
gwefan www.ylolfa.com
e-bost ylolfa@ylolfa.com
ffôn 01970 832 304
ffacs 832 782

Ah! Happy they whose hearts can break
And peace of pardon win!...
.... 'How else but through a broken heart
May Lord Christ enter in?'
Poem V, 'The Ballad of Reading Gaol,'
Oscar Wilde

Quelquefois, le soir, quand ils demeuraient en tête à tête au coin du feu,
elle apportait sur la table où ils prenaient le thé la boîte de maroquin où
elle enfermait la "pacotille", selon le mot de M. Lantin; et elle se mettait
à examiner ces bijoux imités avec une attention passionnée, comme si elle
eût savouré quelque jouissance secrète et profonde.

Weithiau, gyda'r nos, pan fydden nhw'n cael sgwrs dros baned o de wrth
y tân, byddai hi'n gosod y blwch o ledr ar y bwrdd a hwnnw'n llawn o
"hen geriach", yn ôl Mr Lantin; byddai hi'n dechrau archwilio'n eiddgar
y gemau ffug hyn fel pe bai hi'n teimlo rhyw bleser dirgel nwydus.

Les Bijoux (Y Gemau)

'Yn enw'r Tad, a'r Mab a'r Ysbryd...'

Agorodd Mair ei llygaid. Edrychodd o'i blaen gan ddechrau gweld siapiau yn y tywyllwch. Daeth sŵn y siffrwd unwaith eto. Trodd ei phen yn ara ac edrych tuag at y ffenest. Roedd y dydd yn agor a'r gwynt main yn anadlu'n gwmwl ar hyd gwydr y ffenest fach. Siffrwd, fel dalennau llyfr. Cododd yn ffwdanus oddi ar ei phengliniau. Syllodd yn dawel trwy'r tywyllwch gan ddal ei hanadl. Yno, yn y ffenest, roedd glöyn byw yn ymbilio am gael mynd mas, a'i hadenydd sych yn sisial gyda phob cyffyrddiad â'r gwydr oer. Gwyliodd hi trwy'r llwydni am amser hir, a chylchoedd tywyll ei llygaid yn lledu. Roedd yr adenydd yn cyffwrdd mewn gweddi dawel. Fe glywsai hi, pan oedd hi'n groten ifanc, mai dim ond dail wedi eu hailgylchu oedd glöyn byw. Meddyliodd yn hir am y peth ar y pryd, a gwenu wrth feddwl am yr holl bosibiliadau oedd yna iddi hi, o ystyried y gallai deilen fach fagu lliwiau, blaguro'n adenydd a hedfan i ffwrdd oddi ar y goeden. Crynodd.

Dihunodd y siffrwd Nanw a dechreuodd ymestyn yn ddiog. Cerddodd Mair at y ffenest gan siarad yn dyner â hi er mwyn gwneud yn siŵr y byddai'n addfwyn. Roedd y môr yn anadlu'n dywyll yn y pellter ac yn y golau gwan roedd gwylanod i'w gweld yn cael eu taflu ar hyd yr awyr, fel sbwriel. Sisialodd y glöyn byw fel hen atgof. Petai hi'n ei gadael yn rhydd i fynd allan, byddai hi'n siŵr o farw, a hithau'n wan ac yn hanner trig ar ôl gaeafu yn y bwthyn bach – ond roedd hi'n daer am gael dianc. Eisteddodd Nanw i fyny wedi'i swyno gan yr adenydd carpiog. Gwyliodd y ddwy ohonyn nhw'r glöyn byw. Cornelodd Mair hi yng nghornel y ffenest, ei dwylo fel cwpan cymun i'w hamddiffyn, cyn agor y ffenest ucha gyda'i phenelin. Gallai deimlo'r adenydd yn curo fel calon wan ar gledr ei llaw. Ymestynnodd ei breichiau ac agor ei dwylo'n ara. Dygodd y gwynt hi o'i gafael a'i hyrddio ar draws yr ardd. Llanwyd y stafell gan sgrech clychau ar y cychod y stafell a lledu rhyw ofn drwyddi. Caeodd y ffenest gyda chlep a thynnu'i gŵn-nos yn dynnach amdani. Syllodd yn ddwfn i mewn i'r tywyllwch gyda phowdwr oddi ar adenydd y glöyn byw yn aur ar hyd ei bysedd.

'Amen,' sibrydodd hi'n dawel.

Dechreuodd Nanw ei dynwared drwy bwyso'n erbyn sgwariau tywyll y caets ac edrych allan. Sgleiniodd y golau gwan yng ngwallt arian Mair a thaflu gwrid ar hyd gwyneb tywyll y mwnci.

Ar ôl rhai munudau, teimlai Mair yr oerfel yn cerdded ei hasgwrn cefn ac estynnodd am gardigan. Bachodd hi am ei hysgwyddau. Agorodd y drws a gadael i'r gath i mewn i'r stafell wely er mwyn iddi gadw cwmni i Nanw tra byddai Mair wrth ei brecwast.

Nythai'r bwthyn ar yr hewl mewn man unig uwchben y môr, lle tyfai ychydig o goed cam o'i gwmpas. Godderbyn â drws isel y bwthyn, ar draws yr hewl, roedd hen sticil yn arwain at lwybr i'r traeth. Dim ond tair stafell fach oedd i'r bwthyn a rheiny'n gawdel o bethau. Roedd creiriau'n tagu'r coridor cul i'r gegin a hen ddillad yn hongian ar fachyn ar ôl bachyn ar bob wal. Roedd papurau ymhob twll a chornel, a lleithder ar y welydd trwchus nes bod rhaid i Mair gynnau tân yn y stafell wely fach. Dilynodd ei thraed noeth y leino i'r gegin a gollyngodd wy ar lwy i sosbaned o ddŵr. Sychodd y llwy yn ei gŵn-nos wedyn cyn ei gwthio i gornel yr hen weirles, gan fod angen help ar honno wedi i Nanw dorri'r erial ym merw rhyw dymer. Gwrandawodd Mair ar y lleisiau pell ar y radio wrth wneud cwpaned cyn gadael y cwdyn te i stemio'n denau ar ochr y sinc.

Arhosodd i'r wy gorco'i fors-cod a datgan ei fod yn barod ac eisteddodd yn y bore ifanc i fwyta.

Gorffennodd Mair yr wy gan adael i'r plisgyn siglo ar y ford a mynd i wisgo.

Tynnodd ddau bâr o sanau am ei thraed a gwthio'i phais i dop ei throwser. Clymodd ei chwdyn arian am ei chanol a'i guddio o dan swch ei siwmper. Taflodd gnau i Nanw a'i gwylio hi'n ceisio eu hagor, ei llygaid prysur yn chwilio'n awchus am yr un nesa cyn cael gafael iawn ar yr un yn ei cheg. Flynyddoedd yn ôl, fe fyddai hi wedi cael mynd gyda'i mistres. Roedd hi'n dda i fusnes. Ond roedd yr oes wedi newid, a phetai hi'n rhoi cnoiad fach i rywun heddiw byddai'n ddiwedd y byd. Cydiodd Mair yn ei dwylo bach duon a'i maldodi a Nanw'n ceisio cipio'r breichledau oedd yn canu fel clychau o gwmpas garddyrnau Mair wrth iddi ffarwelio. Cilagorodd y gath ei llygaid a chwipio'i chynffon mewn eiddigedd.

'Aros di fan'na nawr te, twtsen, fe gadwith y gath gwmni i ti.'

Sythodd Mair ei chefn a gollwng y dwylo bach gan adael i Nanw blethu'i bysedd yn ôl am y bariau ac edrych i fyny arni gyda'i llygaid mawrion. Caeodd Mair y drws ar ei hôl a cherdded i mewn i'r stafell ffrynt. Twriodd yn y bocs teganau a thynnu bocs lleder dwfn o'i guddfan ym mherfeddion y teganau meddal. Gwasgodd ef at ei brest fel plentyn a'i gario'n ofalus i'r car gan gloi'r drws ar ei hôl.

Hyrddiai'r gwynt wrth iddi danio'r injan. Fflachiai'r cloc ei bod hi'n chwarter wedi pump. Câi hen ddail a fflwcs eu chwipio ar hyd yr ardd a'u cario o flaen y ffenest fach. O'i chell, gwyliodd Nanw'r car yn gadael a gwibiodd ei llygaid at ddeilen fach liwgar yn ymbilio'i chŵyn ymysg y borfa. Dechreuodd y gath ganu grwndi.

ROEDD HI'N FWRLWM FFAIR erbyn i Mair gyrraedd y farced, a bocsys yn cael eu cario ar ysgwyddau i bob cyfeiriad. Dydd Mercher mart oedd diwrnod prysura'r wythnos, ac er bod mart yr anifeiliaid yn y dref wedi cau ers blynyddoedd roedd rhai gwragedd o'r ffermydd cyfagos yn dal i fynd ar yr hen bererindod, ond roedd eu niferoedd bellach wedi lleihau. Roedd y rhan fwyaf o'r stondinwyr wedi gosod, dadbacio a phrisio'u nwyddau'n barod a bellach wrthi'n brysur yn bwyta'r brechdanau bacwn roedd Ann Chips wedi'u coginio iddyn nhw yn y caffi, a'i chreithiau pinc yn ysgol amlwg ar ei breichiau.

Heddiw, fe godai'r cleber gyda'r haul drwy do'r hen adeilad. Roedd y lle'n edrych yn ddigon dyrran yr amser hyn o'r flwyddyn a'r sêr o gardiau llachar yn fflachio'u prisiau braidd yn rhy amlwg. Datguddiai golau llym y gwanwyn yr ôl byseddu oedd ar bopeth. Roedd hyd yn oed lleisiau'r stondinwyr yn cecru ac yn gweiddi'n swnio'n llychlyd fel petai angen sgrwbad iawn arnyn nhw.

Cyrhaeddodd Mair ei stondin ar ôl gwenu ar hwn a'r llall wrth gerdded drwy'r adeilad a theimlai ei hysgwyddau'n ymlacio wrth iddi doddi ynghanol yr holl sŵn cysurus. Roedd aroglau'r pysgod a'r cig yn cymysgu ymysg y mwg sigaréts a stêm o'r cwpanau te gan lenwi pob synnwyr nes ei bod hi'n amhosib meddwl am unrhyw beth arall. Ymbalfalodd am ei hallweddi a sylwi bod Dafydd wedi agor y drysau trymion iddi'n barod, chwarae teg iddo fe. Roedd Eirwyn, y nesaf ati, â'i stondin ar agor yn barod. Nodiodd arno a gwenodd yntau wrth ei chydnabod. Crydd oedd Eirwyn, a'r esgidiau'n rhesi milwrol ar silffoedd ei stondin gyda rhifau ticedi raffl ynddyn nhw. Byddai'n torri allweddi hefyd ac yn rhoi pwt i ambell wats a oedd wedi dechrau loetran. Yr ochr arall iddi, roedd Mo'n brysur yn gwerthu clwtyn llestri a sebon Lifebuoy i ryw fenyw. Chwifiodd y cwdyn o gwmpas ei garddwrn a chlymu'i dop yn gwlwm. Crychodd ei thrwyn dan ei glasys plastig gan amlygu'r bwlch rhwng ei dannedd. Winciodd yn chwareus ar Mair. Gwenodd Mair yn ôl fel y byddai hi'n wneud bob bore.

Roedd hi'n dechre prysuro a phobol yn treiglo'n ara i'r farced. Deuai ambell un yn unswydd, yn moyn cig neu fara bob dydd ac yn plymio fel glas y dorlan i mewn i'r bwrlwm cyn diflannu gyda'i saig. Roedd eraill yn galw heibio wrth iddyn nhw ddod i siopa yn y dre, i dorri allwedd, i ailsodlu esgid, i brynu jam neu i chwilio am anrheg fach. Byddai rhai hyd yn oed yn dod i weld y tŷ dol ar stondin Eirwyn – copi perffaith o dŷ bach a phob manylyn yn ei le. Heddiw roedd wyau Pasg ar hyd bord cegin y tŷ bach. Byddai ambell un, fel Ieuan, yn tin-droi drwy'r dydd, yn trafaelu yno ar fỳs, ers iddo ymddeol, er mwyn cael clebran 'da hwn a'r llall. Yna byddai'n mynd i eistedd yn y caffi ac yn ymuno ag unrhyw un oedd yn eistedd wrth fwrdd ar ei ben ei hunan. Roedd e ar ôl Mo heddiw. Winciodd ar Mair cyn mynd i mewn i'w phluf.

'Dow, Mo, chi'n edrych yn dda heddi…' Gwenodd eto ar Mair.

'Nawr te, be ma 'na fod i feddwl, Ieu?'

Roedd Mo'n chwarae'r gêm.

''Ych chi'n edrych yn llond 'ych cot.'

Rhoddodd Mo law ar ei chanol.

'Jest i chi gal gwbod, nawr te, Ieu – 'yf fi fel styllen o dan yr holl ddillad 'ma… 'Yf fi'n gorfod gwisgo fel sachabwndi i gadw'n gynnes yn y drafft 'ma…'

Chwerthodd Ieuan. Gwenodd un o ferched y becws wrth iddi gerdded heibio i stondin Mo a chlywed yr holl chwerthin.

'Rhowch fi lawr, nawr te… ne fe fydd Dai ambiti'ch clustie chi…'

'Duw, hen bwsi cat fuodd hwnnw eriod…'

Gwenodd Mo arno. 'Nawr te, Ieu bach… be 'ych chi isie?'

Dechreuodd Ieuan a Mo dwrio mewn bocs o sanau a throiodd Mair ei sylw at ei chownter ei hun. Stondin hir a chul oedd gan Mair, gyda chesys gwydr y tu blaen a silffoedd y tu ôl i arddangos y creiriau mwy a'r hen ddillad y byddai hi'n eu gwerthu. Edrychodd ar y bocs a theimlo'i hun yn cynhesu drosti. Dyma oedd ei hoff gyfnod o'r dydd. Agorodd geg y bocs lleder ac edrych i mewn gan gymryd ei hamser. Yna, tynnodd haenau o fyrddau melfed o'i grombil, fel agor cwch gwenyn, gan adael i'r gemau ddisgleirio'u golau o'u cwmpas. Câi'r neclisau glas a'r cameos â'u gwynebau llaethog aros dan glo yn y farced dros nos, ond byddai'r gemau gwerthfawr yn mynd a dod gyda Mair. Bob bore, byddai hi'n eu hagor a'u dihuno cyn eu taenu o dan allor o wydr a'u gadael yno i ddenu eu haddolwyr.

Gadawodd y cerrig i anadlu ac egino – diemwnt ac emrallt, carreg waed a rhuddem. Byddai eu prydferthwch yn dwyn ei hanadl. Roedd holl nerth y ddaear wedi gweithio i greu rhywbeth mor brydferth ac weithiau, yn nyfnderoedd ei breuddwydion, fe allai hi glywed creigiau'r byd yn ymladd, a'u chwys yn troi'n emau. Roedd ganddi berlau duon hefyd o lynnoedd rhyfedd a'u bochau'n gwrido'n swil yn y golau ysgafn. Pan fyddai carreg wedi ei thorri'n dda, doedd dim angen goleuadau trydan llachar i'w harddangos.

Tynnodd Mair saffir anferth allan o'r defnydd melfed. Roedd hi newydd ei phrynu mewn arwerthiant. Rhwbiodd hi â hen racsyn i'w chynhesu. Roedd yna ddyfnder twyllodrus fel y môr yn ei glesni, a gallai ddychmygu llyngesau'n boddi yn ei honglau dryslyd.

'Newydd?'

Neidiodd Mair wrth glywed ei lais mor agos. Roedd ei meddwl ymhell. Byddai Ieuan yn hoffi cadw llygaid ar ei stoc hi ac fe fyddai'n prynu ambell wats yn y farced – er nad oedd unrhyw ddigwyddiad y byddai'n rhaid iddo fe fod yn bresennol ynddo mewn pryd. Dangosodd Mair y fodrwy iddo. Cymrodd hi yn ei fysedd trwsgwl.

'Saffir,' meddai hi wrth ei weld yn edrych yn ddwfn i mewn iddi, 'carreg doethineb.'

'Duw, duw...'

Pwysodd dros y cownter a gwenu wrth ei weld yn syllu arni.

'O'dd 'na rai hen bobl slawer dydd yn credu bod y byd yn gorffwys ar saffir anferth a 'na pam roedd yr awyr yn las.'

'Ma hi'n bert,' meddai gan ei rhoi yn ôl i Mair, 'ond yn edrych yn bishyn bach drud i fi.'

'Chi fydde'r dyn doetha 'ma wedyn... Ma ateb i bob cwestiwn yn y byd mewn fan'na.'

'Wel,' meddai, gan dapio'i fys ar ochr ei ben a gwenu, 'ma'r clopyn yn go wag, a gwag fydd e 'fyd os yw bod yn gallach yn costu gymaint â 'na!'

Chwerthodd a gwasgu'i sanau newydd i boced ei siwt cyn cerdded yn gloff i gyfeiriad y caffi. Gwyliodd Mair e'n mynd cyn rhwbio'r saffir unwaith eto gan feddwl bod ei phris yn un digon rhesymol, o ystyried y gallai roi gwybodaeth am bob peth a phob dim yn y byd. Gwthiodd hi i ganol y darnau lliwgar eraill a gwenu wrth i bobl oedd yn pasio gael eu dal gan y dafnau o olau a ddisgleiriai ar eu hwynebau.

'WELL I NI BLYGU, ynta.'

Grwgnachodd Mo ychydig bach a cheisio chwilio am rywle clir yng nghanol y llawr i benglinio, gyda siâp ei broetsh pedol i'w weld trwy ei siwmper. Nos Iau'r Cablyd ac roedd Mo wedi galw heibio i ofyn am help Mair gan fod ei gŵr mewn rhyw arwerthiant. Yn ystod y dydd, nicers a blwmers, festiau, peisiau, ffedogau, dillad babi a sebon fyddai Mo'n eu gwerthu ar y stondin nesa at Mair, er iddi newid y stoc damed yn ddiweddar i siwtio'r oes dipyn bach. Erbyn hyn, roedd yna ambell fra gyda phatrwm croen teigar arno, a bwa pluog pinc neu biws egsotig yn nadreddu o dan y *flannelette* a'r Y-ffrynts. Ond er i'w busnes oroesi, gyda'r nos y byddai Mo'n gwneud ei harian. Byddai hi'n 'glanhau nythod' fel y byddai hi'n eu galw, yn pigo fel pioden trwy hen dai a'u clirio gan rannu'r creiriau i'w gwerthu neu eu llosgi. Bob wythnos byddai hi'n hidlo hen fywydau a'u tacluso mewn bagiau duon a lotiau ocsiwn. Byddai Mair yn mynd gyda hi'n aml gan ei fod yn waith unig a Mo eisiau'r cysur o gwmni. Mair, wedyn, wrth gwrs, fyddai'n cael y cynnig cynta ar unrhyw ddillad a gemwaith.

Heno, roedd y ddwy mewn tŷ yn uchel uwchben yr harbwr. Y tu allan, roedd ambell wylan a'i swch sur yn cerdded trwy'r cerrig duon yn yr harbwr gwag. Roedd y glaw erbyn hyn yn drymach ac yn slapio'n ddiamynedd ar ffenestri'r hen dŷ Sioraidd.

Gweddïodd y ddwy â'u dwylo ynghyd yn y tywyllwch nes i'w pengliniau ddechrau gwynio ar y carped.

'Bydd yn ofalus nawr de.'

Cododd Mo a chynnu lamp gan nad oedd trydan yn y tŷ. Tynnodd Mair i'w thraed.

Roedd pob twll a chornel o'r stafell yn orlawn o gawdel. Llwybr dafad yn unig oedd i'w droedio o gwmpas y stafell deulu anferth. Roedd yno ddrewdod hefyd, ac fe fu'n rhaid i Mair anadlu trwy ddefnydd ei sgarff ar adegau gan wneud i'w bochau ddampo. Roedd yna ddysenni o beceidiau gwag o siwgr mewn un cornel, a llond cydau plastig o boteli llaeth mewn cornel arall.

Daliodd y golau lygaid gwdihŵ mewn casyn wrth y lle tân. Teimlodd Mair ryw oerfel yn saethu trwy ei stumog. Closiodd Mo tuag ato a'i farcio â chroes sialc – arwydd i'w gŵr ei roi yn y fan ar gyfer yr ocsiwn ddiwedd yr wythnos. Marciodd gwpwrdd cornel yn yr un modd. Closiodd Mair at y lle tân. Tynnodd ei thortsh fach hithau o'i phoced a'i chynnu. Clywodd siffrwd yn y fantell. Aderyn yn nythu yn y simne, siŵr o fod. Edrychodd ar y lluniau ar y silff ben tân. Lluniau du a gwyn. Merch ar gefn beic, ei gwallt yn donnau taclus a ruban am ei thalcen. Ei blowsen tsiec wedi'i chlymu'n gwlwm am ei chanol a'i choesau hirion ar y pedalau wrth iddi fyrlymu heibio a'i phen wedi'i fwrw am yn ôl yn llawn chwerthin. Llun o sowldiwr. Llun priodas. Llun o'r ferch yn ganol oed ar lan y môr. Llun arall ohoni'n cael ei phenblwydd yn chwe deg. Doedd hi ddim wedi cael amser i gael plant. Dyna pam roedd Mo a hithau yno'n cribo, meddyliodd Mair.

Edrychodd Mair am hydoedd ar wên y ferch ifanc. Cododd ei llaw a rhedeg ei bys ar hyd ei gwyneb. Teimlai ryw hen hiraeth yn dihuno ynddi, ac wedi iddi wneud yn siŵr bod cefn Mo tuag ati gwthiodd lun o'r ferch i'w phoced. Caeodd ddefnydd ei phoced yn ôl yn dynn a'i wasgu i lawr gyda chledr ei llaw.

Arhosodd yn llonydd am eiliad a'i llygaid ar gau yn y tywyllwch cyn gollwng anadl hir.

'Pŵr dab,' meddai Mo dan ei hanadl, 'ro'dd hi wedi cadw popeth.' Diffoddodd y lamp. 'Dere.'

Cerddodd y ddwy i fyny'r grisiau yn y tywyllwch gan gymryd hoe nawr ac yn y man er mwyn i Mo gael peswch tamed o'r tar i fyny – tar a oedd wedi casglu yng ngwaelod ei hysgyfaint o ganlyniad i ryw hanner canrif o smocio. Sylwodd Mair fod sgwariau o liw tywyll ar yr hen bapur wal a hynny'n clapian bod rhyw gymydog craff wedi galw heibio i gasglu rhai o'i lluniau gwerthfawr.

'Wel, dda'th Dafydd ddim gyda ni heno 'to,' meddai Mo trwy eu hanadlu trwm.

'Na, fisi ynta,' atebodd Mair yn gwta.

'O,' meddai Mo gan roi'i phwysau ar un ben-glin. Arhosodd y ddwy er mwyn i Mo gymryd anadl hir arall a thynnu'i hun i fyny gyda'r canllaw. Roedd y dydd wedi dechre 'mystyn a'r llawr ucha damed bach yn fwy golau. Cripiodd Mo i'r stafell wely fawr a chynnu'r lamp, tra aeth Mair i'r un fach ac agor y llenni. Roedd gŵn-nos yn dal ar y gwely a'r garthen wedi'i throi i lawr.

Fan hyn byddai'r hen wraig yn cysgu, bownd o fod, nid yn y gwely mawr. Chwilotodd yn yr hen *dressing table,* ond doedd yr euogrwydd cyfarwydd hwnnw o edrych drwy bethau rhywun arall byth yn pylu, er iddi fod wrthi ers blynyddoedd. Edrychodd trwy'r hen deits a'r hancesi. Roedd yna fotom-drôr yn llawn o lieiniau gwyn gorau a phatrwm o iorwg arnyn nhw, carthenni drud a hen ffedogau wedi'u gwinio â llaw. Doedden nhw heb gael eu defnyddio erioed – yn amlwg fu dim achlysur digon arbennig i hynny. Hen focs o gonffeti, menig lledr a botymau. Coler les a bocs gwyn. Agorodd Mair hwnnw'n ara gan glywed crafu sialc

Mo yn y stafell drws nesa. Llythyron caru ar bapur swyddogol adeg y rhyfel, modrwy 'ore' o ddiemwntau, broetsh las a rhes o berlau. Dim byd o ddiddordeb arbennig iddi hi. Caeodd bob drôr yn ofalus a thynnu'r garthen yn ôl ar y gwely'n deidi. Roedd yna wydraid o ddŵr yn dal ar bwys y gwely a swigod yn glynu'n styfnig ar ei waelod.

Troiodd at y wardrob ac agor y drws trwm yn ara gan gadw cledr ei llaw ar wyneb y pren. Ffrogiau, siwtiau. Cot ffwr hir. Cydiodd ynddi a'i thynnu damed allan i'r golau. Roedd hi fel newydd a'r ffwr yn sgleinio'n iachus.

'Edrych!'

Neidiodd Mair a chau'r wardrob. Roedd llond dyrned o arian papur gan Mo.

'Arian sychion wedi'u stwffio i mewn i'r llawes 'ma!'

Dangosodd Mo got iddi a'r llawes wedi'i gwinio ar gau. Gwthiodd Mo'r arian i'w phoced. Edrychodd Mair yn syn arni.

'Paid â pipo arna i fel'na,' meddai Mo'n amddiffynnol. 'Do's neb yn gwbod eu bod nhw 'ma a ma isie rhyw bethau ar yr wyrion o hyd. Ma hwnna'n fonws bach neis.'

'Chei di ddim lwc fel'na...' rhybuddiodd Mair.

'Wi'm yn cal llawer o lwc ta beth,' atebodd hithau dan ei hanadl cyn diflannu gyda'r golau drwy'r drws.

Edrychodd Mair yn ôl at y gwely. Roedd hi'n gwybod bod y peth yn gyffredin. Roedd hi ei hunan wedi prynu gemau gan ymgymerwr cyn darganfod mai eiddo'r meirw oedden nhw. Dyw gemau'n dda i ddim dan ddaear, dyna oedd ei esgus ef, heb sylweddoli mai o'r fan 'ny roedden nhw wedi dod yn weiddiol. Teimlai'r oerfel yn taro yn erbyn ei bochau poeth. Dilynodd Mo i lawr y grisiau.

Byddai'r ddwy'n bennu yn y gegin ac fe fyddai Mo hyd yn

oed yn dod â fflasged o de a bisgedi 'da hi. Cegin henffasiwn dywyll oedd hon a daliodd golau lamp Mo wydr hen gloc ces yn y cornel; roedd hwnnw bellach wedi dechrau llusgo'i draed a stopio cerdded yn gyfan gwbwl. Croesodd Mo ei wyneb â sialc ac edrych arno am eiliad. Goleuodd Mair ei thortsh a thynnodd y ddwy anadl siarp i'w hysgyfaint. Roedd olion swper yn dal ar y ford a hyd yn oed gyllell a fforc wrth ochr y plât. Siglodd Mo ei phen. Roedd y bwyd wedi pwdru'n fudreddi du erbyn hyn. Cerddodd at y ford a chydio yn y gyllell a'r fforc gan eu rhoi'n ôl lle dylen nhw fod wedi pryd o fwyd.

'Y swper ola,' meddai Mair gan godi'i phen a gwenu'n drist ar Mo.

Wrth iddyn nhw adael a mynd allan i'r glaw, sylwodd Mair ddim ar Mo'n gwthio'r arian sychion yn ôl i boced un o'r cotiau a oedd yn hongian y tu ôl i'r drws. Caeodd hwnnw'n drwm ar eu holau. Wrth i'r dŵr foddi'r harbwr yn ôl i gysgu unwaith eto, fe gerddodd y ddwy trwy'r glaw. Byseddai Mair y llun a orweddai'n oer yn ei phoced.

PENNOD 4

DYDD GWENER Y GROGLITH oedd hi a Mair yn ymladd gyda'r drysau trymion. Roedd hi wedi blino a'i breichiau'n wan ar ôl bod yn gweithio'n hwyr gyda Mo. Edrychodd o gwmpas am help, ond doedd Eirwyn heb gyrraedd ac roedd Mo â'i chefn tuag ati yn clebran gyda merched y becws. Cochodd wrth feddwl am orfod gofyn am help. Cerddodd dwy fenyw ifanc heibio. Gwenodd Mair arnyn nhw'n drist. Tynnodd ar y drysau unwaith eto, yn siarpach y tro hwn, a theimlo chwys ar ei chefn. Yn ddiweddar, roedd y gwendid fel pe bai'n setlo arni fel tarth ac yn cymryd hyd at ganol dydd i godi. Edrychodd o'i chwmpas i wneud yn siŵr nad oedd neb wedi sylwi. Tynnodd unwaith eto, yn galed y tro hwn. Cochodd ei bochau. Gorffwysodd ei phen yn erbyn drysau'r stondin am eiliad. Roedd fel pe bai hi'n diharpo bob dydd. Teimlai ryw dyndra diamynedd yn ei chorff.

'Mair?' Llais tawel Dafydd.

Roedd ei got wen yn waed i gyd ar ôl bod yn torri cig a'r cyllyll yn wlyb yn ei ddwylo. Camodd Mair i'r naill ochr ac agorodd yntau'r drysau ag un llaw. Ceisiodd beidio ag edrych arno rhag iddo weld y gwlyborwch yn ei llygaid.

'Diolch,' meddai hi gan glirio'i gwddf. Agorodd y drws mewnol yn gyflym. Plygodd Dafydd i godi'r bocs yr union yr un pryd â hi. Daeth eu pennau'n agos at ei gilydd.

'Watsha nawr de, neu fe gei di wa'd dros y cwbwl.'

Gosododd hi'r bocs ar y cownter a dechrau ei agor. Sefodd Dafydd gan edrych arni.

'Chi'n siŵr o fod yn meddwl lle 'yf fi 'di bod yn ddiweddar.'

Plymiodd Mair i berfedd y bocs.

'Na dw i.'

Oedodd ef am eiliad cyn tynnu cwdyn o'i boced gan geisio peidio â dwyno rhagor ar ei got bwtshiwr wen.

''Co rhein i Nanw.'

Edrychodd hi ar y cwdyn gwyn ac yna'n ôl ar ei wyneb.

'Dere â nhw draw heno…'

Oedodd Dafydd am eiliad a thynnu anadl hir.

'Fydda i ddim yn galler dod draw heno, ond cofiwch 'u rhoi nhw iddi.'

Tynnodd Mair fyrddau'r gemau allan o'u bocs fel arfer. Roedd y cerrig yn disgleirio'r bore 'ma ac yn canu fel gwenyn a'u honglau siarp yn pigo'i dwylo.

'O 'na fe te,' meddai Mair gan dynnu'r bwrdd ola o'r bocs.

'Ond fe fydda i draw cyn bo hir.'

'Gwed ti storis fel'na.'

'Mair…'

Gwenodd Mair gan ddal i osod y stondin.

Clywodd y ddau sŵn dyn yn clirio'i wddf. Camodd Dafydd yn ôl yn ddryslyd a hofran gerllaw. Edrychodd Mair i fyny a'i bochau'n boeth. Edrychodd ar y pâr o'i blaen. Roedd ei fraich ef am ei hysgwyddau ifanc a'i ddwylo trwm yn ddu, ddu. Roedd ei chroen hi'n lân a blewiach golau o gwmpas ei thalcen. Gwasgai'r dyn ei braich nes bod cylchoedd gwyn ar ei chroen. Gwingodd Mair ac edrychodd Dafydd draw.

'Dewis un nawr te.'

Gwibiai llygaid y ferch o fodrwy i fodrwy, yn amlwg heb syniad lle i ddechrau.

'Bydda i'n talu *cash*,' meddai yntau wedyn heb edrych yn iawn ar Mair.

''Yn ni newydd ddyweddïo,' cynigiodd hithau, fel petai'n ymddiheuro. Nodiodd Mair a chario mlaen i osod y gemau o flaen y ferch. Câi'r modrwyau eu defnyddio i gario addewidion ac roedd rhai o'r addewidion hynny'n rhai go fawr i'w gosod ar ei hysgwyddau tenau. Byddai Mair yn gadael i'r gemau orffwys yn ei chwmni hi am ychydig ar ôl blynyddoedd o gael eu chwenychu, eu gwisgo a'u caru gan eraill. Disgwyliai i un o'r modrwyau ddewis y ferch. Roedd eu honglau fel pe baent wedi'u hogi gan y tyndra a'r gystadleuaeth o ddenu llygaid y ferch yn gwneud iddyn nhw ddisgleirio'n beryglus. Gwelodd Mair fod Dafydd yn edrych ar y gemau a dilynodd hithau lygaid y ferch ar hyd y gwynebau sgleiniog.

'Hon fi'n credu,' meddai hi o'r diwedd. Modrwy fach o ddiemwntau wedi eu torri'n ddisglair.

'Fyddi di'n ei gwisgo hi nawr?'

Edrychodd y ferch ar ei chymar yn betrusgar cyn ateb. 'Falle golla i 'ddi.'

'Beth yw'r pwynt 'i chael hi wedyn te? Gwisga hi i bawb gal 'i gweld hi.'

Rhoddodd e'r arian ar y cownter tra bod Mair yn ysgrifennu derbynneb a chwilio am focs. Cymerodd ei hamser gan iddi synhwyro bod hast arno fe. Roedd Dafydd yn symud ei bwysau'n ansicr o droed i droed.

'Odych chi'n gwbod pam bod diemwnt yn disgleirio?'

Cododd y tri eu pennau ac edrych arni. Plygodd hithau ymlaen a gwylio'r ferch yn llithro'r fodrwy yn ansicr am ei bys.

'Oherwydd bod y gole sy'n mynd i mewn iddi yn cael 'i dorri yn lliwiau'r enfys yn ei chanol.'

Sylwodd Mair fod Dafydd wedi symud gam yn agosach.

'Ma'r gole 'na'n chware rhwng y welydd ac yn dawnsio ac yn troi'n dân.'

Daeth gwên fach i wefus y ferch wrth edrych ar y cerrig ar ei bys.

'Ond os nad yw'r welydd 'na'n llyfn, ne'r cartre heb fod yn gysurus a heb ei baratoi'n iawn, yna… mae hi'n torri'i chalon ac yn pallu â sgleinio. Ma'r gole'n mynd ar goll…'

Sythodd gwên y ferch a lledodd ei llygaid. Plygodd Mair gefn y dderbynneb dan ei gewin a'i rhoi i'r dyn. Edrychodd hwnnw arni'n ansicr cyn cipio'r papur o'i bysedd.

'Llongyfarchiadau,' meddai Mair wrth ddal llygaid y ferch.

Cydiodd yntau yn ei braich a'i thynnu o'r stondin. Gwyliodd Mair nhw'n mynd am eiliad a'r ferch yn ceisio edrych yn ôl arni dros ei hysgwydd. Trodd Mair ac edrych i fyw llygaid Dafydd.

EISTEDDAI MAIR AR OCHR y gwely, y cwdyn gwyn yn ei chôl a'i meddwl yn rhywle arall. Roedd hi'n hwyr a lliwiau'r nos yn dechrau cymhlethu'r wybren. Edrychodd tuag at y silff ben tân, lle'r oedd hi newydd osod llun y ferch ar gefn y beic mewn ffrâm. Roedd hi'n gweddu yno rhywsut ymysg y gwynebau eraill. Sgrechiodd Nanw a thynnu'i sylw. Agorodd y cwdyn unwaith eto a rhoi darn arall o gig iddi. Cipiodd Nanw'r cig yn awchus a'i lowcio bron yn gyfan cyn gwichian ac ymbalfalu rhwng y bariau am ragor. Wrth adael y farced, roedd Mair wedi gweld Dafydd yn cerdded am sgwâr y dref law yn llaw gyda merch eiddil, wallt tywyll. Am yn hir gwyliodd nhw'n pellhau cyn iddi ddechre oeri; yna prysurodd am ei char ac am gatre.

'Damo di!' Gollyngodd Mair y cwdyn a neidio ar ei thraed. Roedd Nanw, yn ei gwylltineb am gael rhagor o gig, wedi ei chnoi.

'Y diawl bach! Pam 'nest ti beth fel'na?'

Chwerthodd Nanw'n sbeitlyd am ei bod wedi codi'i llais.

'Bydd ddistaw y sgrechgast fach!'

Roedd dau gylch bach ar ei bys yn pistyllo gwaed. 'Damo di! Ti'n clywed?'

Cerddodd i'r gegin gan gydio yn ei llaw. Agorodd y tap. Gwyliodd y dŵr yn rhedeg yn binc am eiliad a'i chlwyfau'n pinsio. Gwasgodd glwtyn llestri'n dynn am ei bys. Cerddodd yn ôl ar hyd y coridor rhwng y ffrogiau llaes gan geisio arafu'i hanadlu. Roedd y dydd yn gwywo a golau rhyfedd yn goleuo'r ffrogiau les o'i hamgylch. Daliai Nanw i ymestyn ei breichiau yn sgaprwth am y cwdyn a'r gath bellach yn bwyta'r cig ac yn coethi bob tro y deuai Nanw'n rhy agos ati. Gwyliodd Mair nhw am eiliad a'i stumog yn troi.

Aeth i'r stafell orau a chau'r drws. Eisteddodd ar focs teganau Nanw gan ddal i wasgu'i bys yn dynn. Roedd y lle tân yn y stafell hon wedi ei gau a bocseidi o waith papur yn gorwedd ymhobman. Wrth y ffenest roedd y ddesg lle byddai'n gweithio – yno y byddai hi'n ailglymu perlau neu'n atgyweirio ambell froetsh. Roedd olwyn lyfnu ar gyfer torri cerrig arni hefyd ac ar y silff ar y wal resi o boteli'n cynnwys gwahanol gemegau a phowdwr polishio. Cydiodd Mair yn ei bocs gemau oddi ar y ddesg a chau'r caead dros nos gan gloi'r goleuadau bach a serennai yn y melfed tywyll. Gwthiodd y gemau i waelod bocs teganau Nanw. Meddyliodd am y fodrwy oer a swynodd y ferch ifanc ben bore. Ni ellid rhagweld llawer o hapusrwydd yn eu dyfodol – carreg dwyllodrus a ddenodd sylw'r ferch beth bynnag. Sefodd Mair am ennyd cyn plygu a thwrio yng ngwaelod y bocs teganau. Tynnodd ddarn o ddefnydd trwm o'i grombil gyda rhywbeth yn ei ganol. Er bod ei bys yn dal yn gwaedu fe agorodd yr hen glwtyn gwyn brwnt. Roedd hi'n tywyllu y tu allan a'r machlud yn anfon ffyn o olau cynnes drwy fariau ffenest y bwthyn bach. Clywai Nanw'n dal i wenwyno a phrotestio.

Tynnodd y garreg allan yn ara bach ac edrych arni yn y gwyll. Roedd hi'n drwm o'i maint ac yn gadarn a theimlai Mair ei chorff yn tynhau wrth gydio ynddi. Carreg o emrallt crai oedd hi, ac er bod ei gwyneb yn arw fe allai Mair ei gweld yn fflachio'i thymer yn y golau gwan. Gwyrdd ffyrnig y gwanwyn oedd hwnnw a wnâi i'r golau melyn o'i hamgylch ymddangos yn sâl. Doedd hi heb edrych arni ers blynyddoedd, ond wrth ei throi yng ngolau'r hwyrnos gallai hi bron â'i chlywed yn ei chyfarch fel hen ffrind.

Hon a'i hudodd mewn ffenest siop pan oedd hi'n ifanc. Byddai ei thad yn ymweld â phobol yn rheolaidd yn y dref a hithau'n rhydd i gerdded y strydoedd drwy'r dydd. Arferai wasgu'i thrwyn ar wydr siop hen bethau er mwyn gwylio'r perchennog yn gweithio oddi mewn. Bu yno mor amal nes yn y diwedd gofynnodd hwnnw iddi weithio yno ar Sadyrnau. Fe weithiodd yno am ddim am flynyddoedd er mwyn ennill digon i brynu'r emrallt. Addawodd iddi hi ei hun y byddai'n dysgu sut i'w thorri. Rhyfeddai sut y gallai rhywbeth mor arw, mor ddi-nod, gael ei droi'n rhywbeth mor hardd. Buodd rhaid iddi dwyllo'i thad a dweud wrtho ei bod hi'n gweithio gyda'r pobydd, gan wybod y byddai'n gynddeiriog pe bai'n gwybod iddi gael ei swyno gan bethau mor bert â gemau. Mae hi'n syndod faint o bobl sydd ac arnyn nhw ofn pethau prydferth.

Droeon teimlai fel ei thorri wrth edrych arni, ac ysai am gael agor y ffenest fach leiaf ynddi, ond roedd cerrig prydferth yn beryglus ac yn medru twyllo. Fe glywodd am dorwyr yn cael eu gyrru'n wallgo ar ôl edrych ar garreg am flynyddoedd a dod i'w hadnabod cystal â nhw eu hunain. Unwaith y bydden nhw'n credu eu bod wedi datguddio pob cyfrinach yng ngwneuthuriad y garreg a rhoi pob owns o ffydd ynddi, fe fyddai hi'n torri'n deilchion yn eu bysedd – a hwythau wedi eu twyllo'n llwyr. Fyddai'r torrwr ddim yn gallu gwneud dim heblaw byw gydag atgof o'r harddwch a allasai fod wedi bodoli.

Roedd hi'n oeri wrth i'r haul suddo'n is a gwasgodd wyneb y garreg yn ôl i mewn yn y rhacsyn brwnt a'i mogi. Gwthiodd hi unwaith eto i waelod y bocs a theimlo'i hun yn ymlacio wrth iddi ddiflannu o'r golwg. Caeodd gaead y bocs yn glou a chwilota ar y silff ar bwys y lle tân am yr hen Feibl. Rhoddodd hwnnw, yn drwm fel carreg fedd, ar ben y bocs. Tynnodd anadl hir.

Edrychodd ar y groes aur yn pylu ar glawr y Beibl am ennyd cyn eistedd ar bwys y ffenest a thynnu rhyw hen luniau a llythyron i'w chôl. Clywai sŵn gwenwyno Nanw'n parhau, ond fe'i hanwybyddodd a dechrau darllen gan ddal wrthi nes bod y stafell yn dywyll. Cynnodd y lamp gerllaw a sleifiodd y gath i mewn gan neidio'n ysgafn i'w chôl a'i bol yn llawn o gig. Wrth i'r blinder ledu trwy ei chorff, fe deimlai Mair yr atgofion cyfarwydd o dan ei bysedd a chynhesodd rheiny hi'n braf. Wrth i'r dydd ollwng ei afael ar y byd, roedd yr emrallt yn dal yn gynnes yn y bocs. Fel colsyn, roedd y gwyneb llwyd yn llonydd gan guddio'r tân gwyrdd a oedd yn prysur egino o'i mewn.

BORE DYDD SADWRN AC roedd Mo wedi bod yn ceisio cocsio Mair o'i chragen drwy'r bore. Caeodd y ddwy eu stondinau'n gynnar a galwodd Dai, gŵr Mo, heibio iddyn nhw yn ei fan er mwyn eu helpu i wacáu eglwys yn y prynhawn. Byddai Dai a'i ffrind yn tynnu'r holl seddi oddi yno drennydd, ond roedd eisiau i Mair a Mo godi'r matiau i gyd, bocsio'r Beiblau, glanhau'r festri a chario unrhyw beth arall i gyntedd yr eglwys – pob dim oedd yn medru ffitio'n hawdd i gefn y fan.

Roedd hi'n ddiwrnod braf a'r gwenoliaid yn fforchio trwy'r awyr. Roedd cannoedd ohonyn nhw'n cyrraedd bob dydd erbyn hyn, a nifer yn eistedd mewn rhesi ar weiers trydan ac yn siglo'u pluf fel petaen nhw'n ceisio ysgwyd gweddillion y gaeaf oddi ar eu cyrff. Eisteddai Mair rhwng Dai a Mo a'r ddau'n smygu mor drwm nes bod cab y fan yn las gan fwg. Gorweddai bag ar y llawr o'u blaenau. Sylwodd Dai ar y plastar ar fys Mair.

'Y mwnci diawl 'na?'

Siglodd Mair ei phen. Agorodd Mo'r ffenest.

'Na, fi o'dd yn lletchwith wrth dorri carreg,' meddai Mair gan guddio'r plastar â'i llaw.

Cododd Mo ei haeliau a chwythu mwg allan o ochr ei cheg.

''Co ni,' medde fe wrth droi i lawr rhyw lôn gul a stopio o flaen yr eglwys. Roedd yna arwydd 'Ar Werth' yn hongian yn gam ar bwys y giât. Llithrodd Mo ei chorff allan o'r fan. Gwnaeth Mair yr un peth.

'Biga i chi lan mys'law.'

Cydiodd Mo yn y fasged a winco wrth i Dai yrru i ffwrdd.

Chwerthodd yntau'n ôl.

'Iawn?' gofynnodd Mo. Nodiodd Mair. Tynnodd Mo sachau duon o'r fasged fwyd a'u rhoi i Mair i'w cario yna cerddodd y ddwy at yr eglwys.

Roedd hi'n hen eglwys ac ysgoldy fach ar ben y llwybr, ar gyfer Ysgol Sul mwy na thebyg. Roedd golwg ddamp ar yr adeiladau gyda'r plastar yn dywyll a gwreiddiau chwyn wedi gwthio drwy'r craciau yn y welydd. Agorodd Mo'r giât a dilynodd Mair hi'n dawel bach. Roedd y llwybr yn hir ac yn droellog a choed yw yn mogi'r awyr uwchben. Tynnodd Mo ei chot yn dynnach amdani a chwilio yn ei phoced am yr allwedd. Roedd y drws wedi chwyddo o ganlyniad i'r holl law a ddisgynnodd yn ddiweddar a bu'n rhaid i'r ddwy wthio a gwthio yn ei erbyn cyn iddo ildio dan eu pwysau. Roedd eu hanadl yn gymylau gwyn o'u blaenau a'r aer llonydd yn gwneud i Mo beswch.

Gadawodd Mo'r drws led y pen ar agor a cheisiodd glicio'r golau. Roedd casyn hwnnw wedi rhydu'n oren ar hyd y paent hufen. Edrychodd y ddwy tua'r distiau ond ddaeth dim golau. Eglwys fach oedd hi gyda dim ond chwe ffenest fach hir a chul, lle i'r organ a ffenest o wydr lliw syml tu ôl i'r allor yn dangos Iesu ar y groes. Sylwodd Mair fod rhywun wedi mynd â'r cwpan cymun a'r platiau. Roedd yno lieiniau crand ac olion y damprwydd yn rhosynnau llwyd yn y defnydd. Roedd Mo yn y festri, wrthi'n barod yn taflu pethau i mewn i un o'r sachau.

Tynnodd Mair bâr o fenig allan o'i phoced a rhwbio swch sach ddu i'w hagor, gan weddïo'n dawel dan ei hanadl. Gweithiodd y ddwy am oriau. Fe godwyd y carped coch a'i rolio'n daclus. Codwyd pob clustog penglinio a'u gosod mewn pentwr wrth y drws. Edrychodd Mair ar y rhifau yn y bocs bach a gâi eu defnyddio i gyhoeddi rhif yr emynau. Cyfrifodd nhw er mwyn gwneud yn siŵr eu bod i gyd yno cyn gosod y cardiau yn ôl yn eu bocs. Rhoddodd Mo groes â sialc ar dop yr organ gan wenu'n dawel ar Mair. Tynnodd Mair ei menig cyn cydio mewn chwe fas flodau oddi ar silff y ffenestri, yna arllwys y dŵr drewllyd o'u boliau a'u golchi o dan y tap tu allan i gefn yr eglwys. Wrth i Mo ddod â dwy stôl allan, fe sylweddolon nhw ei bod hi'n weddol fwyn y tu allan o'i gymharu â thu mewn i'r eglwys. Aeth Mair yn ôl i mewn i'r oerfel, cydio yn y lliain dros yr allor a'i blygu. Byddai hi'n mynd â hwnnw adref i'w olchi cyn ei roi'n ôl i Mo.

Rhoddodd y lliain dros ei braich a theimlo'r defnydd rhwng ei bysedd. Fe gafodd hi gyfle, unwaith, pan oedd hi'n fach, i wasanaethu'r allor. Buodd hi'n gwylio'r plant eraill am fisoedd gan ddilyn trefn pob symudiad. Ar y diwrnod pwysig fe wisgodd y gŵn gwyn a rhyfeddu at ei hadlewyrchiad ei hunan yn y groes bres ar bwys yr allor. Tynhaodd brest Mair wrth feddwl am y peth. Roedd hi bwti bwrw'i bogel isie i bopeth fod yn berffeth, ond yn ei hawydd i blesio tynhaodd ei nerfau nes iddi wylltio a gadael i'r cwpan cymun yn llawn o win coch gwympo ar hyd ei gŵn. Caeodd Mair ei llygaid wrth iddi ail-fyw'r olygfa a chlywed y cwpan yn taro'r llawr unwaith eto gan atseinio'n aflafar ar hyd welydd yr eglwys. Fe lefodd hi o flaen yr holl addolwyr, ei gŵn mor goch â gwaed a'i dwylo o'i blaen yn diferu o win. Bu hi'n eistedd yn llefen yn y festri am yn hir nes i'w thad cynddeiriog gyrraedd i fynd â hi adref ar ôl y gwasanaeth. Buodd yn rhaid llosgi'r gŵn. Roedd staen y gwin yn rhy ddwfwn.

'Mair?'

Troiodd Mair i gyfeiriad Mo a gwenu'n wan. Roedd y gwaith bron ar ben a Mair yn edrych ar gerflun o Iesu a oedd wedi'i hoelio ar y wal. Edrychodd ar y pren golau a'r dafnau gwaed a'r lliain o liw glas dwfwn am ei ganol. Daeth Mo i sefyll y tu ôl iddi.

'Be newn ni â fe? Ma fe 'ma er cof am rywun,' meddai Mair a'i hanadl yn gwresogi'r awyr.

Crychodd Mo ei thrwyn a cheisio darllen y plac wrth ei draed.

'Trueni'i adel e. Cal 'i dowlu geith e,' awgrymodd Mo. 'Af i hôl un o'r stolion 'na nawr… gewn ni afel ynddo fe, siŵr o fod, a'i dynnu fe e o 'na.'

Prysurodd i ffwrdd i hôl stôl tra bu Mair yn gwylio golau hwyr y dydd yn cynhesu ac yn cryfhau trwy liwiau'r ffenest. Gosododd hi'r stôl o dan y cerflun. Byddai'n rhaid i Mair ddringo am fod coes Mo'n dioddef yn yr oerfel.

Gwnaeth yn siŵr bod y stôl yn wastad cyn cydio yn llaw Mo, rhag iddi gwmpo, a dringo i ben y stôl. Sefodd Mair arni a 'mystyn am y cerflun. Roedd yna deilsen yn rhydd o dan un o goesau'r stôl a honno'n siglo.

'Ma hi'n eitha saff,' cysurodd Mo hi er na fedrai weld yn iawn.

Cydiodd Mair yn nhraed y ffigwr a'i dynnu. Doedd dim symud arno.

'Ma fe'n rhy sownd. Bydd isie rhywbeth arna i i'w ryddhau e.'

'Aros fan'na,' meddai Mo gan ollwng y stôl yn ddirybudd a gadael Mair yn siglo'n anwadal.

Clywodd Mair hi'n twrio trwy hen focs yn y festri. Roedd yr eglwys yn tywyllu'n gyflym a'r golau'n fflamio'n goch ac yn oren drwy'r ffenestri ar hyd welydd yr eglwys wag. Roedd sŵn traed Mo'n swnio'n drymach yn y gwacter. Estynnodd groes drom i Mair.

'Ffysta fe â hon.'

Cydiodd Mair yn y groes a sadio'i hun yn erbyn y wal. Bwrodd draed y cerflun nes bod yna gwmwl o baent wedi plisgo'n cwmpo'n gawod ar ei phen. Clywodd Mo'n peswch wrth ei thraed.

'Unrhyw lwc?'

'Ma fe'n dod…' atebodd Mair a'i fwrw unwaith eto. Roedd y sgriw yn dechrau llacio yn y plastar llaith a'r cerflun yn symud. Estynnodd y groes yn ôl i lawr i Mo, yna cydiodd yn y traed a thynnu. Clywodd y plastar yn chwalu a daeth y cerflun yn rhydd yn ei dwylo. Roedd yn drwm o'i faint a gwasgodd Mair ef yn saff fel babi i'w brest wrth i Mo gydio yn ei llaw arall a'i sadio wrth iddi gamu'n ddiogel oddi ar y stôl.

'Ma fe'n un neis, on'd yw e?' meddai Mo gan grychu'i llygaid i gael golwg iawn arno fe. 'O leia falle brynith rhywun e ac y ceith e gatre da.'

Erbyn i'r ddwy orffen cario'r cwbwl i gyntedd yr eglwys roedd y dydd yn prysur ddirwyn i ben. Chwiliodd Mair am y llyfrau cofnodion geni a marw, ond heb lwc – roedd rheiny, yn anffodus iddi hi, yn siŵr o fod wedi cael eu symud i un o eglwysi eraill y plwy. Cydiodd mewn bwndel o lythyrau a chofnodion o'r festri a'u rhoi ar y naill ochr, yn barod i fynd â nhw gyda hi.

Agorodd Mo'r fasged fwyd ac eisteddodd y ddwy ar y stepen blygu o flaen yr allor. Roedd y golau wedi ymestyn yn batrymau ac yn brydferth ar hyd y welydd gwlyb, yn sgwariau hir o felyn a phorffor. Goleuwyd y ffenestri ag aur, a gwythiennau'r iorwg y tu allan yn ymddangos yn dywyll trwy'r gwydr. Syllodd Mair ar y lliwiau byw wrth i Mo agor y fflasg gan wenwyno am i Mair ei rhwystro rhag defnyddio'r allor fel bord.

Tynnodd Mo'r brechdanau a'r bisgedi allan a'u gosod ar hyd y llechi oer. Eisteddodd y ddwy yn agos at ei gilydd er mwyn ennill peth cynhesrwydd gan dynnu eu coesau'n dynn at eu cyrff. Bwytodd y ddwy mewn tawelwch a'r mwg o'r te'n cymysgu gyda phob anadl. Wedi iddi orffen, cynnodd Mo sigarét a'r sbotyn o dân yn goleuo'r tywyllwch. Edrychodd Mair yn syn arni'n smygu mewn eglwys, er ei bod yn wag.

'Bydd Dai 'ma cyn bo hir, gobeitho.'

Nodiodd Mair. Roedd llais Mo'n swnio'n uchel wrth iddo chwarae ar hyd welydd yr eglwys.

'Wedi'i ddal yn rhwle, siŵr o fod.'

Edrychodd Mo o gwmpas gan deimlo mor fach a di-nod yn yr eglwys. 'Ti'n meddwl cawn ni'n rheibo?' gofynnodd gan dorri ar draws myfyrdod Mair.

'Paid â siarad dwli...' atebodd Mair yn ansicr, 'smo Duw'n rheibo.'

Gwrandawodd y ddwy ar sŵn yr awel yn codi a'r iorwg bellach yn chwipio ar wydr y ffenestri.

'Wel... rhod e fel hyn te...' meddai Mo eto gan lapio'i chot yn dynnach amdani, 'wi'm yn credu 'newn ni 'ddi i'r nefodd rhagor...'

Chwerthodd hi'n ddwfn yn ei brest a thynnu'n drwm ar ei sigarét unwaith eto. Sythodd gwên Mair wrth iddi weld siâp cnawd gwyn y cerflun yn goleuo yn y tywyllwch yng nghyntedd yr eglwys.

Un ar ddeg o'r gloch y nos, a lliain yr allor yn hongian i sychu o flaen y tân. Roedd y dafedd aur ac arian yn disgleirio yng ngolau'r fflamau a phob pwyth yn rhychio ar lyfnder y defnydd. Ar y gwely gorweddai'r papurau a gariodd o'r eglwys. Buodd Mair yn cribo trwy'r holl wybodaeth am oriau ac erbyn hyn roedd ei llygaid wedi blino. Y noson gynta, ar ôl bod yn glanhau'r eglwys, roedd hi wedi ffaelu'n lân â chysgu gan iddi deimlo rhyw euogrwydd yn ymgripio'n dawel i mewn i'w hymwybod; erbyn hyn roedd hi wedi dod yn gyfarwydd â'r teimlad ac yn gwybod y byddai'r creiriau'n saffach yn nwylo Mo nag ym meddiant llawer o bobol eraill roedd hi'n eu nabod. Eisteddai Nanw'n bwdlyd yn ei chaets gan wybod nad oedd pwrpas gwenwyno tra bod Mair yn chwilota.

Doedd dim byd o werth yma. Taflodd Mair y papurau i'r naill ochr. Eisteddodd am eiliad gan wylio Nanw'n byseddu bariau'r caets. Yna, cododd a phlygu ac edrych o dan y gwely. Tynnodd y bocs tywyll allan i olau'r tân. Gwyliai Nanw bob symudiad a'i phen ar dro mewn cwestiwn. Eisteddodd Mair, gyda'r bocs ar ei phwys, gan redeg ei bysedd dros ei gaead. Roedd golau'r tân yn cynhesu llieiniau'r allor ac arogl damprwydd yr eglwys yn llenwi'r stafell fach. Llyncodd Mair ei phoer cyn agor y bocs. Ynddo roedd lluniau ohoni hi'n fabi ac yn ferch fach – lluniau du a gwyn. Teimlai Mair rywbeth yn crynu'n ddwfn y tu mewn iddi: ei thad yn gwenu o flaen y camera; y diwrnod cyntaf yn yr ysgol; hithau yn ei gwisg ysgol yn sefyll ar bwys rhosyn yn yr ardd; ei thad a hithau'n mwynhau diwrnod allan ar y traeth. Gadawodd i'w llygaid orffwys yn boenus ar y gwagle ar bwys ei thad.

Cuddiwyd gwyneb y lleuad am eiliad a chododd Mair ei phen yn siarp. Roedd Nanw wedi eistedd i fyny hefyd ac yn gwrando'n astud. Twmblodd y lluniau o'i chôl wrth iddi godi'n gyflym a chiciodd nhw a'r bocs yn ôl o dan y gwely. Sefodd a gwasgu'i chefn yn erbyn y drws ac yn ddigon pell o olwg y ffenest. Chwerthodd Nanw'n nerfus. Tynnai'r gwynt yn swnllyd yn y simne gan aflonyddu ar y papurau ar hyd y gwely. Gwrandawodd Mair yn astud. Roedd lladron yn fygythiad dyddiol iddi – wedi'r cwbwl, gallai unrhyw un ei gweld yn cario'r gemau o'r farced a'i dilyn hi adref. Byddai Mo wastad yn ei hebrwng hi at y car ond gallai rhywun ddod i mewn i'r tŷ yn hawdd.

Clywodd sŵn traed a'r rheiny'n rhai trwm. Roedd ofn yn miniogi'i holl synhwyrau. Doedd hi heb gloi stafell y gemau. Penderfynodd agor y drws a cheisio gwneud hynny cyn cuddio'r allwedd. Gallai hynny ennill peth amser iddi. Troiai ei stumog wrth feddwl am golli'r emrallt. Glynai ei thraed noeth wrth y leino. Agorodd y drws y tu ôl iddi'n dawel bach. Roedd y coridor yn dawel, ond gallai Mair deimlo presenoldeb corff y tu ôl i'r drws mas trwm. Roedd rhywun yn troi'r bwlyn. Sefodd yn ei hunfan. Teimlodd bwysau'n gwthio ar y drws.

Bang, bang, bang…

Dwrn ar y drws. Aeth ei chorff yn wan i gyd.

Bang, bang, bang…

Ceisiodd beidio â symud wrth anadlu.

'Mair! Gadwch fi mewn.'

Roedd y llais yn gyfarwydd iddi a buodd hi bron â phlygu'n ddwbwl mewn ofn.

'Mair, agorwch y drws!'

Gwasgodd ddwrn i'w bola er mwyn ei sadio'i hun am ennyd

cyn sleidro bolltau'r drws ar agor a throi'r bwlyn. Yno, roedd Dafydd yn pwyso ar ffrâm y drws a hanner ei wyneb yn ddu gan waed.

'O'n i'n ame,' meddai hi, cyn i Dafydd bwyso ymlaen a chydio ynddi gan achosi i'r gwaed a'r baw rwbio ar ysgwydd ei gŵn-nos gwyn. Roedd y defnydd yn wlyb o ddagrau. Rhoddodd Mair ei hysgwydd o dan ei gesail a'i hanner gario draw i'w stafell wely. Rhoddodd ef i eistedd ar y gwely gan geisio symud rhai o'r llythyron oddi yno cyn iddo eistedd. Aeth yn ôl i gau'r drws. Roedd Nanw'n chwerthin yn braf ac yn gwthio'i breichiau rhwng y bariau mewn llawenydd er mwyn chwilio am y cig y byddai Dafydd bob amser yn ei roi iddi.

'Bydd ddistaw!' dwrdiodd Mair y mwnci. Roedd pen Dafydd yn hongian yn llipa.

'Arhosa fan'na,' meddai hi wrtho gan roi ei llaw ar ei ysgwydd am eiliad cyn mynd i'r gegin i redeg y tap dŵr twym a chwilio am glwtyn. Daeth yn ôl a thynnu cadair o'i flaen gan roi'r badell o ddŵr ar ei phengliniau. Roedd e'n ceisio cuddio'i ddagrau drwy eu rhwbio i ffwrdd â chefn ei law. Edrychodd Mair ar ei ddwylo i wneud yn siŵr nad oedd marciau arnyn nhw. Gwlychodd y clwtyn a chydio yn ei ên er mwyn glanhau ei wyneb. Roedd e'n edrych allan drwy'r ffenest a'i lygaid ymhell i ffwrdd. Gweithiodd hi'n dawel gan adael i'r dŵr ddiferu'n ôl i'r badell gan gymylu'r dŵr glân â gwaed. Gwrandawodd y ddau ar gwyno diddiwedd Nanw.

'Ma nhw'n mynd i gau'r farced,' meddai Dafydd yn dawel, heb droi ei lygaid tuag ati.

Oedodd Mair am eiliad ac edrych arno cyn ailddechrau glanhau ei wyneb.

'Glywoch chi? Ma'n nhw'n mynd i'w chau.'

Roedd Nanw'n chwerthin.

'Paid â siarad dwli.'

''Dyn nhw ddim isie ni rhagor, Mana…'

Doedd ef heb ei galw hi'n Mana ers pan oedd yn grwtyn bach. Roedd ei dalcen yn boeth a synnodd hi at erwindeb ei groen garw. Doedd hi ddim wedi cyffwrdd yn ei wyneb ers iddo ddechrau siafio a theimlai'r garwder yn ddierth o dan ei bysedd.

'Ath Mam draw heno, i'r neuadd…'

'A dod gatre at y botel, ife?'

'Ma arni hi ofan y collwn ni fusnes Dat.'

Dechreuodd Mair lanhau ei wyneb unwaith eto. 'Ro'n i'n gwbod 'i bod hi wrthi 'to.'

'Sdim isie i bawb…'

'Dim pawb odw i, Dafydd. Dyw hi ddim yn ffit…'

'Dyw hi ddim yn gwbod be ma hi'n neud…' Torrodd ei lais.

Cydiodd Mair yn ei wyneb ac edrych i fyw ei lyged. Roedd y croen ar ei dwylo hithau bron yn dryloyw.

'Ma hi'n gwbod yn iawn. Drycha ar dy wyneb pert di…'

'Peidwch!' meddai gan blygu'i ben.

'Drycha ar dy wyneb di.' Rhedodd ei bysedd ar hyd ei wyneb gan ddyfalu tybed a fyddai'r creithiau yno am byth. Daeth dagrau i'w llygaid wrth weld y croen wedi'i glwyfo a'r gwaed yn llifo'n dywyll heibio i'w lygaid duon. '… Yn gwmws fel dy dad.' Roedd meddwl Mair ymhell wrth siarad ag e.

Tynhaodd gên Dafydd a chydiodd yn siarp yn ei garddwrn. Gallai ei fysedd cryf amgylchynu'i braich yn grwn. Stopiodd Mair yn sydyn ac edrych arno. Edrychodd y ddau i fyw llygaid ei gilydd am sbel.

'Plîs, peidwch.'

Meddalodd ei lygaid a chwympodd ysgwyddau Mair.

'Plîs…'

Syrthiodd Mair ar ei phengliniau o'i flaen.

'Cer yn ddigon pell o 'ma, Dafydd. G'na fywyd i ti dy hunan yn rhywle arall. Fe dynnith hi ti'n ddarne…'

'Ond ma 'da fi gariad… 'yn ni'n… chi'n gwbod bod Catrin a fi'n mynd i briodi.'

Caledodd gwyneb Mair wrth deimlo'i anadl yn drwm ar ei boch.

'Ti'n rhy ifanc. Paid â bod yn ddwl. 'Yf fi wedi gweud a gweud.'

'Ond 'yn ni'n…'

'Bydd ddistaw!'

Gwasgodd Mair y clwtyn yn sych a chodi'n ofalus oddi ar ei heistedd.

''Na fe, ti'n lân nawr.'

'Mana… ni'n mynd i golli'r busnes. Bydd raid i ni i gyd… wi'm yn gwbod…'

Cariodd Mair y badell yn ôl i'r gegin. Arllwysodd y dŵr brwnt i lawr y sinc yng ngolau'r lleuad a phwyso ar gwprdd y gegin yn aros i Dafydd flino. Roedd ei ben yn iselach erbyn iddi fynd yn ôl ato a'i foch wedi dechrau chwyddo. Syllai ar gornel y bocs o dan y gwely. Byrhaodd anadl Mair.

'Beth yw hwnna?' holodd e mewn llais isel.

'Dim byd,' atebodd hithau'n dawel.

'Bocs.'

'Shshshsh.'

'Be sy miwn ynddo fe?'

'Ti wedi blino… gorwedda am sbel fach.'

Roedd ei lygaid yn dechrau cau.

'Dere di,' meddai'n dawel wrtho, 'dere di, gorwedd di fan'na nawr am hoe fach.'

Plygodd i lacio carrai'i sgidie. Tynnodd ei grys ei hun oddi amdano a gorweddodd i lawr. Roedd e'n cysgu o fewn eiliad neu ddwy. Ymlaciodd ei hysgwyddau hithau a phwysodd ei phen ar ffrâm y gwely. Roedd Nanw wedi dynwared anadlu ara Dafydd a hithau hefyd wedi cwmpo i gysgu'n sownd yn un cwrlyn.

Roedd y tân yn llosgi'n isel ac yn taflu'i olau gwan o dan fegin y gwynt yn y simne bob nawr ac yn y man. Cododd Mair grys gwaedlyd Dafydd a'i blygu dros bostyn y gwely. Teimlai wres ei gorff yn diflannu o dan ei bysedd. Pwysodd dros y gwely am eiliad gan daflu ei chysgod drosto wrth wthio'r bocs ymhell yn ôl o dan y gwely a cheisio gwneud yn siŵr na fyddai'n ei ddihuno.

Gollyngodd Mair ei phwysau'n ara i'r gadair ac edrych ar y bachgen. Roedd ei ysgwyddau'n sgwâr ac yn soled a lled yn ei gyhyrau. Ymhen ychydig fisoedd byddai'n dathlu'i ben-blwydd yn un ar hugain oed ac yntau wedi tyfu a newid cymaint ers pan oedd yn fachgen bach. Bryd hynny, flynyddoedd yn ôl, byddai'n sgrechian yn ei gwsg gan wneud i Nanw edrych yn syn trwy fariau'i chaets. Doedd ei fam ddim yn ffit i edrych ar ei ôl e a phryd 'ny bydde arno fe ofn ei gysgod.

Roedd rhyw wrid ysgafn ar ei groen llyfn a'i frest yn wyn ac yn feddal. Rhyfeddai Mair at sut y medrai gysgu wrth orwedd mor agored. Allai hi ei hun ddim cysgu heb orffwys llaw'n amddiffynnol ar ei brest i warchod ei gwddf. Symudai'r lleuad ar draws yr awyr uwchben y môr gan anfon cysgodion arian i guddio ym mhantiau cyhyrau ei frest. Edrychai ei groen yn gynnes, yn dynn ac yn llyfn a'r gwaed yn dirgrynu'n ysgafn o dan groen tenau ei wddf. Syllodd Mair ar y graith grwca ar ei wyneb ac ar ei gorff am amser hir gan wenu ar yr un roedd yn ei garu gymaint.

Pan ddihunodd Mair ben bore, roedd y gwely lle buodd Dafydd yn cysgu'n wag, a dim ond siâp ei gorff ar ôl yn y carthenni a'r llythyron brau. Doedd hi ddim wedi cysgu mor drwm ers blynyddoedd, ac wrth iddi ddod ati hi'i hun fe ddechreuodd Nanw styrian. Agorodd Mair y caets a thynnu'r mwnci cysglyd i'w chôl. Clymodd honno ei chynffon amdani. Wrth wylio'r wawr yn dechrau cyffro, fe fagodd Mair hi, eu bochau'n gwasgu yn erbyn ei gilydd a theimlai ryw gynhesrwydd yn y dwylo bach oer.

PENNOD 8

DYDD SUL Y PASG ac roedd Mair wedi mynd yn ôl i orwedd ar ei gwely bach a Nanw'n un cwlwm o gwmpas ei braich. Roedd y ddwy wedi cysgu drwy'r prynhawn. Eisteddodd i fyny a thynnu bysedd y mwnci oddi ar ei braich. Gwisgodd yn dawel, heb weddïo, gan gadw llygad ar gorff bach Nanw. Gadawodd y stafell ar flaenau ei thraed gan dynnu'r drws yn dawel ar ei hôl. Roedd yr adar yn herio'r nos yn y coed o gwmpas y bwthyn a sefodd Mair ar stepen y drws i dynnu anadl hir. Croesodd y ffordd o flaen y tŷ a dringo'n ofalus dros y sticil gul i'r ochr draw.

Roedd hi'n noson fain 'sach bod y gwynt wedi blino. Roedd y borfa'n frasach wrth agosáu at y môr a'r llwybr yn fwy serth. Byddai defaid yn glynu wrth ochr y welydd ffordd hyn a'r blodau'n cadw'u pennau'n isel. Tynnodd ei chot yn dynnach amdani. Roedd sŵn y farced yn troelli yn ei meddyliau. Meddyliai pa mor dawel fyddai ei bywyd heb fwrlwm aflafar y lle. Meddyliodd am Ieuan a arferai ddod yno er mwyn cael cyfle i siarad â rhywun, yn lle eistedd gatre ar ei ben ei hun, ac am fusnes Dafydd.

Roedd y môr ar ei droad a dinoethwyd rhyw filltir a hanner o dywod meddal ar hyd yr arfordir. Roedd y bae yn fas yn y fan hyn a'r ddau benrhyn bob ochr yn drwch o feini mawr duon – meini a fyddai'n cysgodi'r trai ac yn offrymu pulpud i ambell filidowcar pwdlyd yn ei got ddu. Teimlai Mair ei bochau'n oeri. Cerddai ar hyd cefn y traeth cyn belled oddi wrth y môr â phosib. Sylwodd ar ffigwr yn y pellter yn chwilota ymysg y gwymon a'r fflwcsach roedd y môr wedi'i beswch i'r lan. Chwiliodd am garreg wastad er mwyn eistedd arni. Roedd ôl bysedd y môr wedi rhychu llyfnder y tywod a phwrs môr-forwyn wrth ei thraed wedi'i hollti gan y tonnau.

Byddai Mair yn dod yma weithiau, pan fyddai arni angen amser i feddwl. Byddai hi hyd yn oed yn gweddïo yma gan wrando ar y gwynt. Gan gerdded yn araf daeth y ffigwr yn agosach ati cyn iddo oedi a syllu i'w chyfeiriad am ychydig trwy'r gwyll. Roedd ei siâp yn gyfarwydd a gwenodd Mair yn wan ar Eirwyn wrth iddo nesáu ati cyn eistedd yn dawel ar ei phwys.

Er iddyn nhw weithio o fewn llathenni i'w gilydd ers blynyddoedd, fydden nhw ddim yn siarad llawer â'i gilydd o gwbwl. Ar y dechrau arferai Mair gario mygied o de iddo fe bob bore a'i holi'n dwll am ei grefft, ond roedd pob gair fel petai'n arw ar ei glustiau a'r dyn eiddil yn cilio fwyfwy oddi wrthi gyda phob cyfarfyddiad. Aeth y broses mor boenus i'r ddau ohonyn nhw erbyn y diwedd fel y datblygwyd system o gyfarch heb siarad.

'Chi wedi clywed, te?' mentrodd e'n dawel.

Nodiodd Mair. Roedd adar yn sgrialu ar hyd y tonnau. Swniai ei lais yn anghyfarwydd y tu allan i fwrlwm y farced, rywffordd.

'Dyw e'm yn syndod mowr. Bydd pob tre 'run peth erbyn y diwedd.'

Cariai sach ar ei gefn a thynnodd honno oddi ar ei ysgwydd a'i gosod ar bwys ei draed. Roedd e'n edrych yn wahanol y tu fas i'r farced hefyd, a'i siwmper o wlân lliw golau'n gwneud i'w lygaid glas edrych yn ddwrllyd.

'Bydd Mo yn iawn, ynta...' oedodd am eiliad, 'a chithe?'

Rhidlodd y cerrig yn y tonnau unwaith eto.

'Sa i'n gwbod,' atebodd gan wrando ar sŵn y dŵr. 'Mae hi'n rhy ddrud i gadw siop mewn tre.' Allai hi ddim hyd yn oed ystyried gweithio i rywun arall. Roedd unrhyw farced arall yn rhy bell i gael stondin ynddi.

'Bydd 'na rhyw ffŷs a phosteri ynta, ond...'

'Ma nhw wedi penderfynu'n barod, siŵr o fod.'

Cytunodd Eirwyn mewn tawelwch a throi ei fodrwy briodas o gwmpas ei fys. Allai Mair ddim dychmygu peidio gorfod codi yn y bore a mynd i'r farced. Dyna oedd hi wedi'i neud ar hyd y blynyddoedd.

'A be newch chi?' gofynnodd Mair yn sydyn.

'Wel... 'yf fi'n rhy hen i neud llawer rhagor,' meddai Eirwyn a gwên chwareus ar ei wyneb. ''Yf fi wastad wedi meddwl y dylwn i fynd i ffwrdd. Gweld rhyw bethe.' Stopiodd am eiliad a gwenu. 'Ond falle 'mod i'n rhy hen i hynny erbyn hyn 'fyd.'

'Na, ddim o gwbwl... beth am y wraig?' gofynnodd Mair a'i phen ar dro. Cwmpodd llais Eirwyn yn iselach. 'Fi... fi'n siŵr fydde dim ots 'da hi.'

Roedd awel fach yn codi.

''Ych chi'n lwcus...'

Troiodd Eirwyn i edrych arni.

'Lwcus bo 'da chi...' Edrychodd arno am eiliad cyn edrych ar y llawr. ''Na i gyd s'da fi... yw hen fywyde.'

Sefodd Eirwyn yn dawel. Gwenodd Mair.

'Yr holl dai a'r holl bobol...' Arhosodd Mair am funud gan godi hen gragen agored a orweddai wrth ei thraed. 'Sa i'n credu'u bod nhw'n diflannu'n gyfan gwbwl, 'chymod...'

Roedd Eirwyn yn dal i feddwl.

'Sa i'n credu'u bod nhw'n mynd ar goll,' ychwanegodd Mair.

Doedd dim un o'r ddau'n symud. Gwridodd bochau Mair

yn y tywyllwch a difarodd iddi fod mor barod i gyfadde'r fath bethau iddo fe.

'Wel, sa i'n... sa i'n credu bod 'na ysbrydion i gal,' meddai yntau, gan synhwyro'i swildod hi, 'ond fi'n credu eu bod nhw'n chwilio am le ym mywyd rhywun arall ac yn bodoli ynddyn nhw...'

Teimlai Mair ei chalon yn rasio. 'A finne 'fyd.' Gwenodd. 'Weithie, ma 'na gyment ohonyn nhw'n gwasgu i lawr arna i...' llyncodd ei phoer, 'ma hi'n syndod 'mod i'n galler anadlu o gwbwl.'

Chwerthodd Eirwyn yn drist. Datblygodd rhyw dawelwch myfyriol rhyngddyn nhw am eiliad, a dim ond sŵn y dŵr oedd i'w glywed. Gwasgodd Eirwyn ei fodrwy yn y tywyllwch cyn i'r gwylanod eu styrbio gyda'u sgrechiadau aflafar.

Teimlai Mair ryw binnau bach yn saethu drwyddi. Teimlai'n oer yn sydyn reit, er bod ei bochau'n dal i fod yn boeth. Roedd nudden denau fel coler les yn gwthio'i ffordd i fyny ar hyd y traeth, a'r gorwel yn graddol ddiflannu. Sigodd ei stumog wrth iddi glywed y tonnau'n taro gan wneud iddi deimlo'n benysgafn yn sydyn.

'Mair? Chi'n iawn?'

Teimlai ryw gryndod yn lledu drwy ei chorff. 'Ychydig bach yn wan, 'na i gyd.'

'Dewch, fe gerdda i chi 'nôl i'r tŷ nawr.'

Wedi taflu ei sach yn ôl ar ei gefn, cydiodd Eirwyn ym mraich Mair er mwyn rhoi help iddi godi. Roedd chwyrlïo'r adar a sŵn y tonnau'n codi gwreiddiau yn gwneud iddi deimlo'n sâl. Gallai glywed y tywod yn crafu o dan y dŵr a'r gronynnau o raean yn gwasgu'n erbyn ei gilydd, gan ddileu gerwinder y cerrig a'u creu'n llyfn ac yn unffurf.

Cerddodd Eirwyn yn dawel gyda hi nes iddyn nhw gyrraedd pen y llwybr gan ddal yn ei braich wrth iddi ddringo'n ôl dros y sticil. Yna, fe'i gadawodd gan droi a cherdded i gyfeiriad yr harbwr a'i gartref.

'Wnaethoch chi 'i ffindio fe?' gweiddodd ar ei ôl.

Troiodd Eirwyn i edrych i gyfeiriad ei llais yn y tywyllwch.

'Wnaethoch chi 'i ffindio fe?' Oedodd am eiliad. 'Ffindioch chi beth ro'ch chi'n chwilio amdano fe ginne fach ar y trath?'

Siglodd Eirwyn ei ben a rhoi hanner gwên iddi. 'Sa i'n gwbod. Fe ddaw pethe'n iawn, Mair,' cysurodd Eirwyn hi, 'fe wellith pethe…'

Nodiodd hithau gan ei wylio'n troi am gatre.

Wrth i Mair gau'r drws ar y dydd fe chwythodd yr awel gwpanau gwag wyau'r gwenoliaid o gwmpas y tŷ. Yn ôl ar y traeth fe agorodd y bilidowcar ei adenydd fel croes a hedfan yn llyfn i'r gwyll.

Fel ag y proffwydodd Eirwyn, fe ymddangosodd posteri o brotest dros nos, ac yn y bore gwelid pobl yn dadlau'n daer mewn clymau cecrus. Penderfynodd Ieuan drefnu deiseb a bwriadai eraill gynnal protest o flaen adeiladau'r Cyngor. Pwyso ar ei chownter a wnâi Mo gan wylio'r holl halibalŵ wrth smocio sigarét a rhedeg ei bys i fyny ac i lawr y pren mesur gloyw ar ei chownter a arferai gael ei ddefnyddio i dorri hyd ar ôl hyd o ddefnydd. Prin flwyddyn oedd ganddyn nhw yno bellach, yn ôl y llythyr a gafodd ei bastio ar ddrws y farced ben bore. Roedd y symud yn ymwneud â'r ffaith bod ar siopau mawr angen lleoliad canolog. Byddai rhai'n siŵr o gael aros − y stondinau a oedd at ddant y siwtiau yn y cyngor, mwy na thebyg − stondinau'r llysiau organig a'r becws siŵr o fod. Byddai'n rhaid i bawb arall godi'u pac.

Sylwodd Mo fod golwg fregus ar Mair wrth iddi gyrraedd y farced ac wrth ymladd ei ffordd trwy'r dyrfa o stondinwyr crac. Nodiodd arni wrth iddi agor ei stondin. Roedd Eirwyn yn trwsio rhyw oriawr; cododd ei ben wrth glywed ôl ei thraed yn agosáu, ond cadwodd hi ei phen i lawr.

Agorodd Mair ei stondin mewn tawelwch gan gymryd mwy o bleser nag arfer wrth osod y gemau i gyd yn eu lle. Teimlai Mo'n ei llygadu. Daeth honno draw a gosod paned i lawr o'i blaen. Aeth i eistedd ar y stôl fach deircoes oedd gan Mair tu ôl i'w stondin yn bwrpasol ar gyfer y te boreol. Roedd ei choesau hi'n boddi'r stôl a honno'n diflannu o dan ei chorff. Edrychodd Mo ar y gemau mewn tawelwch. Diffoddodd ei sigarét ar ochr y mỳg gan chwythu'r lludw i'r llawr. Roedd Mair yn gosod broetsh ddiemwnt ar ganol darn o felfed tywyll. Teimlai lygaid Mo ar y froetsh.

'Ti'n 'i lico hi?'

Edrychodd Mo i ffwrdd yn syth. 'Na dw i… wi'm yn lico rhyw ffrils fel'na.'

'Ma'ch *ruby wedding* chi cyn bo hir,' meddai Mair wedyn, gan wasgu ei man gwan. 'Edrycha ar hon.' Roedd y rhuddem yn disgleirio fel dafn dwfn o waed. 'Carreg nwyd…'

'Hy, ar ôl tri o blant a *triple bypass,* sdim lot o hwnnw ar ôl,' sniffiodd Mo. Ond edrychodd ar Mair am rai eiliadau. 'Ma hi'n itha neis,' meddai wedyn gan bwysleisio'r 'itha' a dechrau cnocio'i sawdl yn erbyn y cownter. 'Smo i'n deall pam na werthet ti rywbeth…'

'Beth?'

'Wel… rhywbeth o werth…'

Ymbalfalodd am ei phecyn o sigaréts cyn penderfynu peidio cynnau un arall.

'Sôn am neud rhywbeth o werth,' meddai gan feddwl iddi fod yn eitha clefer wrth godi'r pwnc, ''yf fi a Dai wedi bod yn siarad – ma e isie i ti ddod mewn 'da ni…'

Rhwbiodd Mair y fodrwy ruddem rhwng ei bysedd.

'Ti 'da fi rownd y rîl fel ma hi… man a man i ni fynd mewn 'da'n gilydd mewn partneriaeth. Gei di edrych ar ôl y dillad ac unrhyw beth arall ti isie… sticith Dai a fi at y celfi. Rhyngddon ni, dylen ni neud yn itha da.' Anadlodd Mo'n ddwfn. ''Na fe… fi wedi gweud 'y mhishyn.'

Cliriodd cwmwl uwchben sgwâr y dref a thywalltodd tamed o haul drwy ffenestri brwnt y farced. Cynhesodd Mair y rhuddem yn ei dwylo. Edrychai Mo arni gan ddisgwyl ateb. Roedd gwerthu gemau'n amhosib i'w ystyried. Saethai rhyw wendid anghyfforddus drwyddi wrth feddwl am y peth. Symudodd Mo ei phwysau'n anghyfforddus ar y stôl. Closiodd Mair ati a chydio yn ei braich. Edrychodd Mo i fyny arni.

'Diolch… ond,' tawelodd llais Mair, 'n… na yw'r ateb.'

Edrychodd Mo heibio i Mair. ''Yn ni… 'yn ni isie i ti fod yn iawn, 'na i gyd.'

Llyncodd Mair ei phoer. ''Yf fi'n gwbod 'ny. Diolch.'

'Ma'n rhaid i ti wynebu pethe. Ma fe'n mynd i ddigwydd.'

Nodiodd Mair a gwasgu braich ei ffrind. Roedd siom yn llygaid Mo.

'Bydda i'n iawn… Ti'n nabod fi erbyn hyn.'

Edrychodd Mo arni am yn hir. 'Iawn,' meddai, gan godi'n sydyn.

Tynnodd Mair ei llaw yn ôl a gwenu.

'Fel donci… o'n i'n meddwl taw 'na be wedet ti… wedes i 'tho Dai… fel donci. A weda i beth arall 'tho ti. O'n i ddim yn gwbod a allen i dy ddioddef di drw'r amser, ta beth…'

Cerddodd i ffwrdd at ei stondin ei hun.

'Bydda i'n dal i ddod 'da ti gyda'r nos!' gweiddodd Mair ar ei hôl.

'G'na di, fel y mynnot ti,' atebodd Mo gan fynd i dwrio mewn rhyw focs am rywbeth neu'i gilydd. 'Ti wedi neud 'ny eriod a fi ddim yn gweld ti'n newid.'

Gwenodd Mair wrth ei gweld yn twrio'n brysur a'i phen-ôl yn yr awyr.

'Esgusodwch fi.'

Trodd Mair ei phen i weld dyn crwm â chap yn ei ddwylo. Gwenodd. Roedd hi wedi gweld cip ohono fe ben bore yn y caffi. Roedd Ieuan wedi bod yn ei bluf e bryd hynny yn holi'i fola berfedd e, sdim dowt. Gwasgai ddefnydd ei gap rhwng ei fysedd. Roedd ei wyneb yn gyfarwydd, rhywffordd. Ymbalfalodd ym mhoced ei siwt am yn hir cyn tynnu macyn allan wedi'i glymu'n gwlwm mewn un pen. Sylwodd Mair fod ei groen yn dynn o amgylch ei benglog. Rhoiodd y pecyn ar y cownter. Edrychodd Mair arno i ofyn am ei ganiatâd cyn agor y defnydd brau. Edrychodd yn ofalus ar yr arlwy. Modrwy ddyweddïo o ddiemwntau a dwy froetsh. Byseddodd Mair y fodrwy am eiliad.

Edrychodd ar y dyn unwaith eto. Rhwbiai ef ddefnydd tenau poced ei drowser rhwng ei fysedd. Syllodd Mair arno. Byddai rhai lladron yn anfon hen bobl i werthu drostyn nhw, ond doedd dim modrwy briodas ganddo yn y macyn. Byddai lladron trachwantus wastod yn anghofio na allai gŵr gweddw werthu modrwy briodas. Roedd yna friwsion ar ochor ei geg ac roedd ei anadl yn sur. Roedd arogl arno hefyd, nid ei fod yn drewi, ond mae gan bobl arogl arbennig sy'n glynu'n dynnach wrth rai pobl. Cododd ei ben a sylweddolodd Mair ei bod hi wedi ei weld bŵer yn y farced gyda'i wraig. Edrychai'n ddierth heb ei gymar.

'Dou gant a hanner,' cynigodd Mair.

Nodiodd yntau'n dawel ac aeth Mair i'r cwdyn arian a wisgai am ei chanol. Allai hi ddim deall ei dawelwch. Roedd straeon caru yn dechrau ac yn gorffen gyda Mair ac roedd hi fel arfer wrth ei bodd yn clywed y straeon. Lleoliad y dyweddïo, y briodas ei hun, faint o blant a aned i'r pâr a pha mor hir y buon nhw'n briod. Roedd dweud y stori yn rhan o'r ffarwelio, ac fe fyddai hi wastad yn gwrando'n astud, yn gwylio'u llygaid yn bywiogi drwyddyn nhw. Roedd yna lonyddwch yn perthyn i hwn – llonyddwch a oedd yn ei phoeni.

Cyfrifodd Mair y papurau decpunt ar y cownter. Gwthiodd y dyn yr arian i boced ei siwt er iddo fethu'r boced gwpwl o weithiau. Gwisgodd ei gap yn ôl am ei ben. Trodd fel pe na bai ganddo'r un syniad lle i fynd. Synhwyrai Mair ei fod yn cael ei ddenu'n ôl at y cownter am un eiliad olaf cyn cerdded oddi yno i gyfeiriad y drysau, ei galon a'i boced dwtsh yn drwmach.

Gwyliodd Mair gefn y dyn yn diflannu i mewn i'r dorf. Fyddai hi byth yn rhoi'r gemau i gadw nes bod y gwerthwr wedi gadael. Sylwodd Eirwyn arni'n gwylio'r hen ŵr; dilynodd ei llygaid a'i weld yn diflannu trwy'r drysau. Cododd Mair y macyn a theimlo pwysau'r gemwaith yn ei dwylo wrth i chwa o wynt chwyrlïo i mewn drwy'r drws wrth iddo adael y farced, gan wneud i'r allweddi ar stondin Eirwyn ganu fel clychau.

FE GASGLODD MAIR FLODAU yn yr ardd a'r gwynt yn chwythu'n ffres. Disgleiriai'r môr yn arian golau a'r haul yn fawr ac yn boddi popeth yn ei oleuni. Roedd blodau cynnar y flwyddyn wedi hen wywo, am fod y tywydd mor anghyffredin o gynnes a'r lili wen fach a lili'r Pasg wedi bwrw'u plwc bron yng nghanol y gaeaf. Plygodd Mair ei chefen gan chwilota yng nghlawdd yr ardd ffrynt. Serch bod y blodau'n denau roedd y clawdd yn drwch o flagur. Brithai helygen y gors yn ddafnau blewog fel glaw arian a chytiau'r ŵyn bach yn siglo yn yr awel. Cynigodd y ffawydden ddail gloyw gwyrdd ac fe gasglodd Mair nhw gan osod pob brigyn yn dwt mewn bwndel.

Roedd paill yn staeniau melyn ar hyd ei siwmper a chlymodd y brigau â thamed o gordyn. Casglodd fwnsied bach arall o friallu melyn golau a'u clymu hwythau'n dynn hefyd. Gwyliai Nanw hi o'r ffenest gan wichian a phlycio wrth ei gweld yn eu casglu. Closiodd Mair at y ffenest yn y diwedd a dangos y blodau iddi. Sefodd hi'n llonydd bryd hynny er mwyn gallu edrych arnyn nhw'n iawn a'i dwylo bach yn cydio'n dynn yn ei chynffon. Gwenodd Mair cyn dychwelyd i'r bwthyn i nôl ei phwrs a'i chardigan a chloi'r drws wrth adael heb hyd yn oed edrych ar Nanw. Aeth i'w char a'i danio.

Roedd y fynwent yr ochr draw i'r pentre'n edrych i lawr ar y môr. Allai Mair ddim dioddef mynd yno o gwmpas Sul y Blode am fod y lle'n morio o bobl mewn ffit o gofio, eu blodau llachar a'u rhubanau plastig yn blastar ymhobman. Ychydig wythnosau'n ddiweddarach byddai'r lle'n wag a'u blodau'n pydru mor gyflym ag atgofion y bobl a'u gadawodd yno. Cydiodd yn y blodau oddi ar y sedd a chau drws y car.

Gwthiodd y giât ddu a'i hagor. Nadreddai'r llwybr rhwng y beddi a rheiny'n suddo'n grwca i mewn i'r ddaear fel pe bai honno'n benderfynol o'u hawlio'n ôl. Roedd y borfa'n dechrau egino ac yn tyfu'n braff trwy'r craciau gan chwalu'r beddi. Sylwodd Mair ar gwningen yn sgrialu i ffwrdd ar ôl clywed ôl sŵn ei throed. Roedd yr eglwys yn wyngalch llachar a'r ffenestri'n fach rhag gadael gormod o gyfle i'r gwynt aflonyddu arni. Chwifiai gweddillion daffodil carpiog yng nghysgod y drysau glas. Cydiodd Mair yn dynnach yn y blodau.

Ar un adeg byddai hi'n cerdded y llwybr yma bob wythnos, ond erbyn hyn doedd hi heb fod ers sbelen hir a hithau'n sylwi felly ar bob newid bychan yn y fynwent gyfarwydd. Allai Mo, wrth gwrs, ddim deall pam na fyddai hi'n gosod blodau plastig yno a bennu arni. Gwenodd Mair wrth feddwl amdani. Byth ers iddyn nhw gyfarfod yn y farced, roedd Mo wedi bod yn angor iddi – fel chwaer iddi – ac er eu bod nhw mor wahanol ag y gallen nhw fod, roedd eu calonnau'n debyg iawn. Roedd petalau'r blodau yn ei dwylo wedi'u cleisio damed yn y gwynt. Byddai hwnnw'n hyrddio weithiau, gan dwmblo'r adar a thynnu ar ddillad Mair fel plentyn drygionus. Troiodd am waelod y fynwent lle gorweddai'r beddi mwyaf diweddar, dim ond lled cae oddi wrth y dibyn a arweiniai at y traeth.

Doedd dim un blodyn ar y bedd yn y gornel, ddim ond gweddillion y rhai a osododd Mair yno dro yn ôl. Siglodd ei phen, taflu'r hen flodau a mynd at y tap yn y gornel i nôl dŵr ffres. Roedd y clawdd yn agos yn y fan honno a'r hen fynwent bellach bron yn llawn. Pan oedd hi'n groten, a'i thad mewn hwyl go lew, fe fyddai'r ddau'n cerdded drwy'r pentre ac i lawr am lan y môr. Pan fyddai'r tywydd yn boeth a hwythau'n sychedig byddai'r ddau'n galw yn y fynwent hon i nôl dŵr. Byddai e'n darllen y cerddi oddi ar y cerrig beddi iddi wedyn a'r ddau'n ceisio eu cofio wrth iddyn nhw gerdded am adref.

Roedd ei jwg yn gorlifo. Aeth yn ôl at y bedd a llenwi'r potyn cyn gwthio'r blodau i mewn iddo. Potyn trwm isel oedd e o reidrwydd, gan y byddai'r gwynt cynddeiriog yn y gaeaf yn gwneud ei orau i daflu'r fynwent a'r blodau'n grwn i mewn i'r môr. Aeth Mair ar ei chwrcwd ac eistedd ar ochr y bedd. Caeodd ei llygaid gan edrych ymlaen at ymlacio a'r awel yn chwarae'n ysgafn ar ei gwyneb. Fe fyddai hi'n siarad ag e weithiau, fel y gwnâi wrth weddïo. Byddai hi'n dweud ei hanes i gyd wrtho neu fe glywai ei lais a gweld ei lygaid. Gallai hi gael ei siomi hefyd, wrth iddi eistedd yno'n glwm wrth y bedd, gan fynd gatre yn ei dagrau dim ond i ddihuno mewn hunllef wrth weld ei wyneb yn pydru yn y ddaear. Byddai ei stumog yn hyrddio wrth feddwl am y peth. Wedyn, byddai hi'n gweld Dafydd, ei fab, yn gwenu arni neu'n troi ei lygaid mewn rhyw ffordd arbennig ac fe fyddai hi'n siŵr iddi weld cip ohono fe ynddyn nhw. Heddiw, roedd y bedd yn dawel.

'Be sy'n bod 'no ti?' gofynnodd hi i'r gwynt. Agorodd ei llygaid.

Meddyliodd efallai nad oedd e'n siarad â hi am iddi gadw draw ers cyn hired. Caeodd ei llygaid unwaith eto a cheisio canolbwyntio ar ei lais, ar ei wallt ac ar ei wyneb. Roedd yn anodd meddwl oherwydd nerth y gwynt. Meddyliodd am yr adeg pan fyddai'n dod gyda hi a Mo o amgylch y tai weithiau, neu'n mynd gyda hi i rai o'r arwerthiannau pan fydden nhw'n rhy bell iddi hi yrru iddyn nhw ar ei phen ei hun. Allai hi ddim cofio rhagor. Agorodd ei llygaid gan fethu â deall. Roedd e mor dawel â'r dyn bach crwm hwnnw ddaeth i werthu'r gemwaith iddi yn y farced. Syllodd ar y môr yn anniddig.

Tyfai draenen ddu yn y clawdd yn ei hymyl a'i chefn wedi'i thorri dan ymosodiad y gwynt – ond roedd hi'n dal i dyfu. Crymai tuag at yr eglwys a'i gwreiddiau'n dal i gydio'n dynn, er eu bod yn tyfu'n hollol annaturiol ac mewn cyfeiriad gwahanol i bopeth arall. Syllodd Mair arni. Heddiw, edrychai fel hen wraig mewn gwisg briodas a'i phetalau'n gonffeti gwyn dros ei hesgyrn duon. Gwrandawodd eto ar y gwynt. Dim byd. Fe fyddai hi, fel arfer, wedi'i hamgylchynu erbyn hyn. Syrthiodd ei hysgwyddau a theimlai rhyw oerfel yn ei chrombil. Cododd a brwsio'r fflwcsach oddi ar ei sgert.

'Fe ddo i 'nôl 'to,' meddai hi, er ei bod wedi digio, 'pan fyddi di'n teimlo'n well.'

Cododd y bwnsied bach o friallu a mynd â'r jwg at y tap. Edrychodd yn ôl ar y bedd a'r garreg yn sgleinio'n ddu ac yn solet. Crychodd ei thalcen. Cerddodd yn ôl ar hyd y rhesi o feddi gan daro golwg ar y cerrig newydd. Roedd rhai o'u henwau'n gyfarwydd gan iddi hi a Mo glirio'u tai wedi iddyn nhw gael eu claddu. Cerddodd ar hyd y llinell, nes i un enw ddal ei llygaid. Eirwyn. Camodd yn ôl a sefyll am eiliad. Ann, annwyl wraig Eirwyn… Closiodd Mair at y bedd. Roedd hi'n siŵr mai dyna oedd enw gwraig Eirwyn. Sefodd a'i phen ar dro. Roedd y bedd yn drwch o flodau a'r garreg yn newydd. Meddyliodd am eu sgwrs ar lan y môr cyn camu'n ôl a cherdded yn ara o'r fynwent.

Dilynodd y llwybr tuag at y giât ond yn hytrach na cherdded trwyddi fe gamodd dros wal fach o gerrig a oedd yn arwain at sgwaryn bach y tu allan i ffin y fynwent. Yn y fan 'ny, roedd ambell garreg fach ac ambell groes fechan heb enw na dim blodyn ar eu cyfyl. Doedd yno ddim arwydd bod unrhyw un yn ymweld â'r lle nac yn gofalu am y beddi. Gosododd y briallu yng nghanol y gwyrddni ac edrych ar eu melyn diniwed am yn hir cyn camu'n ôl ar y llwybr. Caeodd y giât ar ei hôl a'i meddwl wedi'u serio ar ddwylo crynedig Eirwyn.

CNOCIODD YR ARWERTHWR Y morthwyl i lawr ar dalcen y ford. Roedd y neuadd yn byrlymu o bobl a gawsai eu denu fel piod gan yr arlwy. Doedd dim llawer o flas ganddi ddod ar ddiwrnod y farced fel hyn, ond dim ond rhyw ddwywaith y flwyddyn y byddai arwerthiannau'r heddlu'n cael eu cynnal. Ymresymai Mair y gallai hi efallai weld rhywbeth bach yno gogyfer â phenblwydd Dafydd. Doedd hi heb ei weld ers amser, ond fe fyddai meddwl am anrheg iddo'n gwneud iddi deimlo'n agosach ato rhywffordd. Edrychodd Mair ar yr arlwy yn y sêl. Bob blwyddyn, byddai cannoedd ar filoedd o bethau drud yn cael eu dwyn, a'r heddlu, mewn rhai achosion, yn dod o hyd iddynt a'u gwerthu mewn arwerthiannau os na fydden nhw wedi cael eu hawlio o fewn rhyw amser penodol. Heddiw, roedd yna ddewis arbennig o emwaith a chlociau ac ambell ddreser fach bert.

Dwyn unrhyw beth er mwyn gallu prynu cyffuriau fyddai'r bechgyn ifanc, heb ddeall dim am yr hyn y bydden nhw'n ei werthu. Weithiau, fel yn yr achos hwn, fe ddeuai rhywun ar draws lleidr â chwaeth arbennig. Cribodd Mair trwy'r catalog wrth i'r ocsiwn ddechrau. Doedd hi ddim wedi bwriadu prynu dim byd mawr ond allai hi ddim peidio â theimlo rhyw edmygedd at chwaeth y lleidr. Roedd ganddo dâst arbennig mewn gemwaith *art deco* ac fe fyddai'n dwyn i ordor mwy na thebyg. Roedd hi'n amlwg i Mair ei fod mewn cariad â gemau, yn union fel hithau.

Roedd y lot nesa'n barod a'r arwerthwr yn siarad yn ei iaith ei hun, ei lygaid yn gwibio ymysg y gwynebau a eisteddai'n gylch o'i flaen yn yr hen neuadd. Byddai rhai'n wincio'n ôl arno, rhai'n codi'u capiau, rhai'n symud eu breichiau ryw ychydig ac eraill yn siarad trwy eu llygaid. Roedd y stafell yn britho o rifau. Doedd dim angen enw yn y fan hyn ac fe fyddai Mair bob amser yn teimlo'r cyffro oherwydd yr holl bosibiliadau oedd yn yr awyr.

'Ydych chi'n prynu 'ma?' Chwythai'r hen fenyw yn galed a golwg fel pe bai hast arni. 'Des i'n hwyr a sdim rhif i gal 'da fi. 'Yf fi isie… prynu.' Tynnodd gatalog o'i handbag a chwilio'n grynedig trwy'r tudalennau. 'Fyddech chi'n fodlon?'

Y lot roedd ganddi ddiddordeb ynddo oedd y nesa.

Nodiodd Mair yn gyflym. 'Faint 'ych chi'n fodlon…'

'Tri chant.'

Croes fach arian o'r 1920au oedd hi gyda diemwntau gweddol o faint ar ei hyd. Gwyddai Mair ei bod yn eitha prin gan nad oedd croesau'n ffasiynol bryd hynny. Byddai'n anodd ei chael hi am bris rhesymol, ynta, gan fod yr arwerthiannau hyn yn denu'r piod o Lundain a rheiny'n delio mewn gwerth miloedd o bunnoedd o emwaith bob wythnos. Hawdd oedd eu hadnabod yn eu siwtiau clinigol a'u ffonau symudol. Brithodd Mair wrth edrych arnyn nhw. Yn araf, cododd y pris fesul deg punt gyda Mair yn gwrando'n ofalus heb symud. Daliai'r hen fenyw yn ei braich heb iddi sylweddoli gan geisio gweld uwchben y bobl o'i blaen. Cododd Mair ei braich ar ddau gant a hanner ond fe neidiodd deliwr i dri chant a deg. Nodiodd yr hen wraig wrth ei hochr. Cododd Mair ei rhif unwaith eto. Dechreuodd pobl siarad am y lot nesa.

'Gaethoch chi 'ddi?' Roedd golwg ddryslyd ar y fenyw.

'Do.'

'Ma hi'n berffaith.'

'Ma hi'n ddarn neis iawn.'

'Y'ch chi'n gwbod lot am groesau?'

Gwenodd Mair cyn ateb. 'Roedd 'y nhad i'n offeiriad.'

'Wel, sdim rhyfedd bo chi'n ledi ffein wedyn, te. Af i dalu nawr, fel bo chi'n glir,' ac i ffwrdd â hi. Arhosodd Mair amdani gan edrych ar y catalog ar gyfer y lot nesa. Yna, fe welodd gefn cyfarwydd. Neidiodd ei chalon a phenderfynodd symud ato.

'Eirwyn.'

Troiodd ar ei sawdl. Goleuodd ei wyneb mewn gwên gynnes.

'Mair…' Roedd ganddo becyn dan un fraich a rhif yn y llaw arall.

'Ma pethe neis i gal 'ma.' Sylwodd Mair fod ei llais yn dynn ac yn fach.

'Cloc,' meddai yntau gan nodio at y pecyn. 'Dim bod llawer o bwynt prynu rhagor o stoc, ond ma fe'n hobi…'

Nodiodd Mair. Sylwodd fod ganddo fodrwy ar ei fys priodas. Edrychai'n llonydd ar Mair.

'Mair…' cychwynnodd Eirwyn.

'Ie?'

Daeth yr hen fenyw fach yn ei hôl. ''Na ni… drychwch. On'd yw hi'n bert?' Gwenodd gan ddangos y groes yn disgleirio'n oeraidd yn ei bocs i'r ddau.

Gwenodd Eirwyn. 'Esgusodwch fi. Ma'n lot i nesa.'

'Ma'n ddrwg 'da fi…' cychwynnodd yr hen fenyw.

'Dim o gwbwl,' atebodd yntau gan wthio heibio i'r ddwy.

Edrychodd Mair ar y gwagle a adawodd ar ei ôl wrth i'r fenyw barablu.

''Co bach o lwc i chi.' Gwasgodd y fenyw ddarn dwy bunt gynnes i law Mair.

'Sdim…'

'Na, ma'n rhaid i chi 'i gymryd e. Heblaw amdanoch chi fydden i ddim wedi'i chal hi.'

'Wel, gobeithio cewch chi bleser ohoni.'

'O na, na. Dim i fi ma hi,' meddai gan wthio'r bocs i'w bag a rhoi ei phwrs i gadw. 'Yr wyres – mae hi'n cael ei bedyddio ddydd Sul. Ise iddi hi ga'l rhywbeth bach i gofio am y bedydd ac i 'nghofio i pan fydda i 'di mynd. Sneb yn byw am byth, o's e?'

Gwenodd Mair arni gan wylio Eirwyn yn y pellter.

'Rhywbeth i nodi bywyd newydd… dechreuad glân… 'na neis on'd ife?'

Nodiodd Mair unwaith eto.

'Diolch unwaith 'to.' Cyffyrddodd y fenyw ei braich yn ysgafn cyn troi i adael.

Gwenodd Mair wrth weld yr hen fenyw yn gwthio heibio i'r plismyn wrth y drws a meddwl am yr enaid diniwed yn dechrau ar ei thaith mewn bywyd â chroes wedi'i dwyn yn gylch am ei gwddf.

PENNOD 12

BYDDAI RHAID IDDI WERTHU'R dillad i gyd, roedd hi'n gwybod hynny, ac roedd hi wedi dechrau ar y gwaith o lanhau a chywiro ambell ddarn yn barod. Ers dod yn ôl o'r farced, roedd Mair wedi bod yn golchi hen ddefnyddiau â llaw cyn eu hongian ar y lein yng nghefn y tŷ a ymestynnai o'r tŷ bach yn yr ardd tuag at gornel cefn y bwthyn. Roedd ei dwylo'n cochi yn y dŵr twym a'r defnydd yn anodd ei rwbio gan ei fod mor drwchus. Roedd Mair wedi tynnu Nanw o'i chaets ac wedi gwisgo'i choler amdani cyn gadael iddi eistedd ar y ford ar ei phwys er mwyn iddi allu ei gwylio.

Roedd ganddi bob math o ddillad, yn amrywio o fenig prydferth, llawer yn rhy fach i ddwylo menywod heddiw, i sgertiau a pheisiau a dillad isa. Roedd ganddi wisgoedd cyfan hefyd, yn cynnwys sanau sidan, cribau gwallt ffansi a phob dilledyn rhwng y corun a'r coesau. Yn blentyn bach byddai Dafydd wrth ei fodd yn chwarae yn eu canol yn gwisgo het a siaced. Gwenodd Mair wrth gofio amdano. Byddai'n rhaid iddi fod yn ofalus gyda'r darnau sidan a'r sioliau'n drwm gan frodwaith cywrain.

Roedd popeth mor fach – alle hi mo'u gwisgo, ond eto fe fyddai pobl yn heidio i'w prynu. Pobl yn cadw casgliadau, ambell amgueddfa neu theatr, ambell unigolyn gyda gwast digon bach i allu gwisgo'r darnau. Rheiny fyddai Mair yn eu hoffi fwya, y merched eiddil hynny a oedd yn prynu am eu bod yn cwympo mewn cariad â darn yn hytrach nag am ryw reswm arall, fel gwneud elw. Roedd hi'n golchi hen ŵn-nos ar hyn o bryd a honno wedi dechre troi ei lliw yn rhyw felyn brwnt. Byddai hi'n taclo ffrog yn nes ymlaen gan fod honno wedi dioddef mewn hen dŷ lle buodd gwyfynod yn gwledda ar ei choler. Sylweddolodd Mair mai dim ond rhuban bach oedd eisie arni ac wedyn tamed bach o waith gyda nodwydd ac fe fyddai hi fel newydd.

Byddai'n gwerthu bagiau hefyd, rhai y gallai merched eu defnyddio ar gyfer mynd allan am noson. Roedd rheiny'n felfed ac yn berlau drostynt neu wedi'u haddurno â gleiniau hardd. Fyddai hi ddim yn broblem gwerthu rheiny. Roedd hi wedi treulio'r noson cynt yn clirio tamed bach ar y coridor hefyd, er bod yna sawl ffrog yn dal i hongian yno ac ambell ŵn priodas a oedd yn ffefryn ganddi. Gwyliodd y dillad yn dawnsio ar y lein, yn siglo gan fywyd newydd. Gwenodd. Roedd Nanw'n dechrau aflonyddu. Gwasgodd y dŵr o'r gŵn-nos a'i rhoi dros ei braich cyn cerdded mas a'i hongian hi ar yr unig le gwag a oedd ar ôl ar y lein. Doedd yr haul gwan ddim yn ddigon cryf i'w sychu, ond fe fydden nhw'n ffresach erbyn iddi ddod â nhw 'nol i mewn i'r tŷ.

Sychodd ei dwylo yn ei brat a gwylio'r dillad yn dripian yn ara. Cydiodd am Nanw a'i rhoi i eistedd ar fwrdd y gegin. Tynnodd dri chwpan wy oddi ar y silff a chydio mewn cwded o gnau. Dechreuodd Nanw glebran yn ei chyfer. Tynnodd Mair gneuen o'r cwdyn a'i gosod o dan un o'r cwpanau gan neud yn siŵr bod Nanw'n ffaelu gweld lle'r oedd hi wedi ei chuddio. Byddai Nanw'n eistedd yn llonydd a'r edrychiad ar ei gwyneb yn dangos ei bod yn canolbwyntio'n llwyr. Symudodd Mair y cwpanau o amgylch a'u rhoi'n ôl mewn rhes, ond mewn trefn wahanol.

'Nawr te, Nanw fach, lle ma'r gneuen?'

Roedd aeliau'r mwnci'n dawnsio wrth iddi edrych o gwpan i gwpan. Yn aml byddai hi'n bwrw'r cwpanau drosodd bob yn un cyn medru dod o hyd i'r gneuen. Pan fyddai hi'n llwyddo, byddai'n sgrechian ac yna'n neidio ac yn cydio yn ei chynffon.

Chwaraeodd y ddwy am amser hir, nes ei bod hi'n dechrau

tywyllu a Mair yn chwerthin yn braf. Roedd hi'n siŵr bod Nanw'n dysgu'n ara bach. Dechreuodd Nanw flino a chollodd ei thymer wrth chware'r gêm ola gan daflu'r cwpanau ar hyd y gegin a neidio at y cwdyn o gnau. Cydiodd Mair ynddi cyn iddi hi gael cyfle i wneud mwy o annibendod a'i chario'n fwndel bibis yn ôl i'w chaets. Anwybyddodd ei chwythu a'i styfnigo ac aeth yn ôl i sortio'r dillad yn y coridor a'r stafell orau. Eisteddodd wrth y ffenest a thynnu'i bocs gwinio a'r ffrog tuag ati. Gwthiai ei thafod allan ar un ochr i'w cheg wrth iddi geisio cael yr edau i mewn i lygad y nodwydd. Sylwodd fod ei llygaid yn gwanhau. Tynnodd yr edau trwy ei gwefusau i gael gwell pigyn arni, yna'i gwthio drwy'r agoriad bach cyn clymu ei chynffon mewn cwlwm. Byddai'n rhaid iddi newid y ddau ruban. Cymrodd fachyn siarp a dechrau gweithio gan rwygo'r pwythe oddi tano.

Meddyliodd am eiliad pa ddwylo a oedd wedi creu'r pwythau taclus hyn ac ymhle y gwnaed hynny. Gogyfer â pha barti, tybed, roedd y ffrog wedi cael ei chreu'n wreiddiol? Roedd yna lwch mân yn codi wrth i'r clymau bach dorri. Gweithiodd yn dawel gan gymryd seibiant bob nawr ac yn y man er mwyn i'w llygaid gael hoe. Ar yr adegau hynny, crwydrai ei meddwl at yr emrallt roedd wedi ei chuddio'n ddwfn yn y bocs ar ei phwys. Bu'n rhaid iddi lusgo ei meddwl yn ôl at y gwaith ac fe ddath y gath drwy'r drws i fusnesu. Yna, aeth i eistedd ar bwys Nanw, fel byddai hi'n gwneud bob nos, a'i phrofocio drwy chwifio ei chynffon allan o'i chyrraedd.

Gweithiodd Mair yn ddiwyd a chreu dwy res daclus o bwythau bach mân, mân ar hyd ochre'r ddau ruban gan ddileu dinistr y gwyfynod yn llwyr. Gwenodd Mair a rhwbio y tu ôl i'w gwddf. Roedd hi'n stiff am ei bod wedi eistedd ers oriau. Siglai'r ffrog o'i blaen yn awr ac yn y man er mwyn cael edrych arni. Roedd hi'n bictiwr, yn sidan pinc gyda botymau mân, mân i lawr ei chefen bob cam. Roedd gwast y ffrog yn fach, fach a'r brodwaith wrth y coler a'r rhuban newydd yn gweddu'n hyfryd. Gwasgodd y nodwydd i gaead y bocs gwinio a phlygu'r ffrog.

Aeth mas i'r pasej a thynnu bocs cardfwrdd allan. Roedd ei lond ef o ddillad. Byddai'n rhaid iddi eu gwerthu'n rhad er mwyn cael gwared ar y stoc i gyd. Caeodd gaead y bocs a gweld y dillad yn diflannu. Roedd y lle'n dechrau gwacáu a Mair yn teimlo'n rhyfedd gan nad oedd yn gyfarwydd â chael cymaint o le yn y bwthyn bach. Tynnodd anadl hir cyn cofio am y dillad ar y lein. Rhoddodd ei phen i mewn i'r stafell wely i fwrw golwg ar Nanw a'r gath. Roedd y gath yn cysgu'n sownd a Nanw, yn dal yn ddrwg ei hwyl, yn ceisio cael gafael yn ei chynffon drwy'r bariau. Aeth Mair ati a'i bwrw hi'n ysgafn ar ei llaw. Tynnodd honno'i braich yn ôl a chydio ynddi fel pe bai wedi cael dolur marwol. Edrychodd arni a'i llygaid yn fawr. Cododd Mair ei phen gan golli ei hanadl yn llwyr.

Ymddangosodd gwyneb yn yr ardd ffrynt. Gwyneb llwyd â llygaid duon yn edrych drwy'r ffenest. Tynnodd Mair anadl boenus. Roedd hi bellach yn denau, denau ac yn wyn fel y galchen. Edrychodd y gwyneb i mewn drwy'r ffenest ar Mair a'r mwnci. Camodd Mair yn ôl, cyn troi a rhedeg i gefn y tŷ gan anadlu'n drwm. Sgrechiodd Nanw nerth ei phen gan wneud i'r gath goethi a dangos ei dannedd. Eisteddodd Mair ar y llawr a'i choesau wedi'u tynnu i fyny'n dynn fel na ellid ei gweld petai rhywun yn dod dros y wal gefn. Sefodd yn y cefn am amser hir, i wneud yn siŵr bod y gwyneb wedi diflannu cyn dechrau meddwl mai wedi breuddwydio'r holl beth roedd hi ar ôl yr holl winio a'r canolbwyntio am oriau. Arhosodd yno nes iddi oeri, yna codi'n ara bach. Roedd sgrechian Nanw wedi peidio. Cododd ac edrych mas i'r ardd gefn gan ofni beth a welai hi. Syllodd i'r tywyllwch ond allai hi weld dim yno, heblaw'r dillad gwyn yn dawnsio yng ngolau'r lleuad fel ysbrydion.

DOEDD MAIR DDIM WEDI cysgu winc ers nosweithiau a heb 'weud gair am y gwyneb yn y ffenest wrth neb chwaith rhag ofn i Mo feddwl ei bod hi'n dechrau drysu. Roedd y sioc wedi meddalu'r atgof erbyn hyn a phethau'n aneglur yn ei phen. Saith o'r gloch y bore ac eisteddai Mair rhwng Mo a Dai – y tri ohonyn nhw ar eu ffordd i sêl lle byddai pethau'r eglwys yn cael eu gwerthu. Roedd y rhan fwyaf o'r creiriau wedi cyrraedd yn barod ac wedi'u harchwilio gan y cyhoedd yn ystod yr wythnos cynt. Doedd dim llawer o ddiddordeb gyda Mair yn yr arwerthiant ei hunan ond roedd arni whant cwmni.

'Ma Ann yn cal aros yn y farced,' meddai Mo wrth fwyta brechdan o fara menyn a mêl oedd yn ei bag mewn papur pobi. Pasiodd un i Dai cyn iddo orfod gofyn.

'Ann Chips?' gofynnodd Mair.

'Ie, ond ma hi'n gorfod symud a cal lle newydd.'

'O.'

'Ac Alan Llysie.'

'Odi, ynta,' meddai Dai wrth newid gêr gydag un llaw a bwyta'r frechdan gyda'r llall. 'Ma fe'n perthyn i'r cownsilor 'na…'

'Ac Eirwyn, wrth gwrs…'

'Beth?'

'Eirwyn… am 'i fod e'n cynnig gwasaneth ne rwbeth…' Gwthiodd Mo ei glasys i fyny'i thrwyn gan lyncu'r frechdan ola.

'Wedodd e ddim byd.'

'Un fel'na yw e. 'Yf fi'n ffaelu cal bw na be mas ohono fe ers blynydde. Os 'na fel'na ma fe isie bod…'

'Ond falle 'na dim 'i fai e…'

'Dyw hi'n costu dim i fod yn serchog,' torrodd Mo ar draws Mair. 'Wyt ti'n rhy sofft.' Rhwbiodd Mo ei dwylo yn ei gilydd i gael gwared ar y briwsion. 'Ond 'na fe, ma fe wedi dod i ben â phethe 'to…'

Eisteddodd Mair yn dawel tra bod Mo'n cynnu sigarét i'w mwynhau ar ôl brecwast a chynnu un i Dai gan ei fod e'n gyrru.

Dau hen le tân trwm oedd yn dal drysau cefn y neuadd ar agor. Roedd yna bobl yn hofran fel clêr o gwmpas y cefen yn pipo'n ewn ar bopeth a gâi ei gario heibio iddyn nhw. Cariai rai lyfr nodiadau gyda phensil tu ôl i'w clustiau. Nodiodd Dai ar hwn a'r llall wrth iddo facio'r fan yn ôl nes bod ei chefen wrth y drws.

Llithrodd Mo a Mair allan a mynd i whilmentan o gwmpas y lle tra bod Dai a rhai o'r dynion yn dadlwytho. Uchafbwynt y sêl oedd seddi'r eglwys a dynasai Dai allan cyn eu polisio a'u cario i'r neuadd. Cawson nhw eu stacio ar ben ei gilydd, yn barod i gael eu gwahanu.

Roedd yno welyau, cypyrddau, hen focsys i ddal llieiniau, dwy limpress a byrddau ymolchi'n aros am rywun i'w stripio a gosod jwg a phowlen flodeuog ar eu pennau. Rhedodd Mair ei bys dros waith cerfio ar wyneb rhyw wardrob. Byddai hi wrth ei bodd yn edrych ar gelfi, ond gan mai drysau bach a nenfydau isel oedd yn ei bwthyn, allai hi ddim prynu unrhyw gelficyn o werth i'w osod ynddo.

Smygai Mo yn y cornel yn trafod 'da un o fois yr ardal a oedd yno i glirio'r dodrefn ar ddiwedd y sêl. Llenwodd y stafell yn gyflym, er ei bod hi'n dal yn fore. Ymysg y prynwyr roedd ambell bâr ifanc yn chwilio am gelfi ail-law rhad gogyfer â'u nyth newydd. Byddai hi'n dewis ac yntau'n cynnig amdanyn nhw'n ansicr a hithau wedyn yn hongian ar ei fraich wrth geisio gweld. Roedd y gwerthwyr henebion 'ma hefyd yn eu gwasgodau cynnes, yn prynu darnau cyn eu polisio'n sglein i gyd a'u gwerthu am grocbris yn y dre. Er eu bod nhw wedi bod yn gwacáu cefn gwlad o'i thrysorau ers blynyddoedd, gellid dod o hyd i ambell ddarn gwerthfawr yno o hyd, ond roedd y prisiau'n codi. Dechreusai Mo erbyn hyn ddilyn y prynwyr yn ara o gwmpas y stafell. Gwenodd Mo wrth weld sgiw ddwfn a chaead ar ei sedd.

'Neis?' gofynnodd Mair gan edrych arni.

'Odd un 'da Mam mas yn yr ardd,' meddai Mo a'i gwyneb yn meddalu, 'a Dat wedi torri tylle yn 'i gwaelod hi er mwyn i'r ieir gal gori ynddi. Bydden i'n codi'r caead bob bore ac roedd 'na wye'n gynnes yn ei gwaelod.' Cododd Mo'r sedd ac edrych i mewn iddi. 'O'n nhw'n wye ffein 'fyd. O'dd Mam yn gorfod rhoi fflŵr yn y tato er mwyn eu mystyn nhw a dim ond ar ddydd Sul y bydden ni'n cal cig. Ond fe fydde wye ffit i frenin 'da ni bob bore.'

Gwenodd Mair wrth weld y llawenydd ar ei gwyneb.

'Druan â hi,' meddai Mo wrth gau'r caead unwaith eto. 'Trueni meddwl beth naethon ni â'r hen gelfi. O'dd neb yn gweld 'u gwerth nhw bryd 'ny, tweld. Ga'th sawl cloc tal fynd 'fyd – gwerth ffortiwn.'

Roedd yr arwerthiant wedi dechrau a llais undonog yr arwerthwr yn hymian yn y cefndir a'r sŵn yn cal ei dorri weithiau gan glap y morthwyl ar y ford. Safai Dai yn y tu blaen gan nodi'r prisiau a gâi am bopeth. Aeth Mair a Mo 'nôl i gefn y neuadd gan chwilota ynghanol y creiriau hynny nad oedd o ddiddordeb mawr i bobl eraill. Daeth o hyd i ambell beth newydd yno, ond dim byd o ansawdd a fyddai'n werthfawr yn y dyfodol. Aeth Mair y tu ôl i gwpwrdd anferth o bren-gwneud rhad a sefodd yn stond.

O'i blaen roedd ces gwydr ac ynddo olygfa o fyd natur. Sefodd Mair gan edrych ar bob manylyn gan ei fod e'n gwmws fel petaech chi wedi torri sleisen allan o fywyd y wlad ac wedi'i osod mewn bocs. Roedd cwningen yn pori ynghanol y blodau a boncyff o'i blaen. Cafodd ei stwffio – ei llygaid glas yn llonydd fel petai'n syllau am dragwyddoldeb ar y blodau. Gallai Mair bron â theimlo ei ffwr, yn feddal ac yn fyw yn ei bysedd. Uwchben y boncyff roedd yna gadno, fel petai wedi cripian i fyny ac wedi gosod ei bawennau blaen ar y boncyff er mwyn edrych i lawr ar y gwningen. Roedd ei geg ar agor a'i ddannedd yn barod i suddo i mewn i'r cnawd meddal. Syllai'r cadno ar ei brae a'r gwningen yn anymwybodol o'r ffaith ei fod yno gan i harddwch y blodau ei swyno. Câi'r cadno gymryd ei amser i fwynhau'r lladd.

'Be welest ti?'

Daeth y llais o'r tu ôl iddi gan wneud i Mair neidio.

'O! dim byd…'

Edrychodd Mo heibio iddi. 'Ych a fi, 'na beth yw peth salw. Ma Dai isie mynd i moyn tamed o frecwast – ail frecwast. Ma'n lotie ni wedi gwerthu i gyd…'

'O 'na fe…'

Sylwodd Mo ei bod hi'n oedi. 'Ti'n iawn?'

'Odw i…'

'Ma golwg arnat ti fel se ti isie hoe fach. Dere, fe gei di gwpaned o de nawr a siwgwr ynddo fe…'

Tynnodd Mo ar ei braich a'i harwain trwy'r bwrlwm tuag at y fan. Roedd Dai'n rholio'r arian papur yn fwndel a'i glymu â bandyn elastig. Cyfarchodd Mo hwn a'r llall a theimlai Mair ryddhad wrth gael mynd mas i'r awyr iach. Gyrrodd y tri i ffwrdd, gyda Dai'n cyhoeddi mai fe fyddai'n talu am y brecwast. Nodiodd Mair a gwenu, ond roedd ei meddwl yn ôl gyda'r boncyff a'r creadur diniwed oedd wedi'i swyno gan y blodau, a'i wddwg noeth yn agored i bob clwyf.

PENNOD 14

ROEDD PEN MAIR YN corco wrth iddi agor y stondin a'r gemau'n chwarae'r bêr â hi. Yn draddodiadol, roedd rhain i fod i wella'r corff o bob anhwylder, ond roedd eu trin nhw, heb gael llawer o gwsg, yn gwasgu ar ei hymennydd. Daethai â'r dillad i gyd i mewn heddiw wedi eu marcio â phris isel er mwyn cael gwared arnyn nhw. Roedd Mo a hithau wedi symud bord fach o gefen y stondin hefyd a'i gosod o flaen y gemau fel eu bod yn denu sylw'r bobl wrth gerdded heibio. Roedd y menig gwynion yn gorwedd yn barau a'r ffrog y buodd yn ei hatgyweirio yn hongian gerllaw. Gosododd y bagiau ar un ochr y cownter glas ac ysgrifennodd bris ar gerdyn.

Roedd cwningen fach yr arwerthiant wedi'i chadw ar ddihun yn ddiweddar, yn ogystal â Nanw – roedd honno wedi dechrau gwenwyno yng nghanol y nos am ryw reswm. Eisteddodd Mair i lawr a phenderfynu peidio â gwneud gormod nes y byddai'n teimlo'n well. Roedd Mo'n gwerthu'n drwm a nifer o gwsmeriaid yn prynu bwndeli o bethau roedden nhw'n gwybod na fydde ar werth yn y siopau mawrion. Edrychodd Mair ar y shiten o sticeri, 'Peidiwch cau'r farced' roedd Ieuan wedi'i rhoi iddi ben bore.

'Mair?'

Cododd ei phen. Safai Eirwyn o'i blaen.

'O… O'n i'n meddwl falle… allech chi…' Crygodd ei lais.

Dechreuodd calon Mair guro heb iddi wybod pam.

'O'n i'n meddwl gallech chi falle…'

Roedd Eirwyn yn cochi ac edrychodd Mo draw mewn syndod o'i weld yn siarad â rhywun.

'… Chwilio am ychydig o eme dw i,' meddai o'r diwedd.

'O, wel, iawn.'

'Deuddeg ohonyn nhw…'

Nodiodd Mair a cheisio chwilio am bensil i gymryd nodiadau.

'D… Dyw e ddim yn ordyr mowr. Deuddeg o eme bach… i'w rhoi ar wats er mwyn ei throi'n gloc ar gyfer model o dŷ. Dim byd rhy ddrud, dim ond rhai i'w rhoi o dan y rhife. Fe osoda i nhw…'

''Na fe. Bob un yr un lliw ne…?'

'Na, lliwie gwahanol… fi'n meddwl bydde 'ny'n bertach.'

Nodiodd Mair.

''Na fe te…' Dechreuodd droi i fynd.

'O… o'n i'n clywed bo chi'n cal aros 'ma,' meddai Mair, gan feddwl efallai fod ei dawelwch diweddar wedi codi o achos ei fod e'n cael aros tra bod gymaint o'r stondinwyr eraill yn gorfod symud.

'Odw.'

'Da iawn. Chi'n siŵr o fod yn falch.'

Nodiodd yntau gan edrych yn ansicr. Teimlai Mair y geiriau'n codi yn ei llwnc cyn iddi allu eu stopio nhw.

'Ma'r wraig yn siŵr o fod yn falch, on'd ydy hi.'

Cochodd Eirwyn a theimlai Mair ryw warth am iddi ofyn y cwestiwn.

Nodiodd yntau'n anghyfforddus a cherdded i ffwrdd. Edrychodd Mair i lawr a'i bochau'n llosgi. Roedd ei phen tost hi'n gwaethygu a'r wasgfa'n llosgi y tu ôl i'w llygaid.

Daeth Mo draw â phaned o de a'i gosod o'i blaen. 'Cymer hon,' meddai hi. 'Ma isie i ti roi dy drad lan yn amlach Mair fach.

Ti'n edrych fel giâr glwc.'

Gwenodd Mair a gwylio Mo'n cerdded yn ôl at ei stondin gan wincio ar ryw hen ddyn oedd yn hofran yno.

Daeth sŵn gweiddi o rywle ac oerodd Mair drwyddi. Cododd ei phen a throiodd Mo ar ei sawdl er mwyn gweld o ba gyfeiriad y deuai'r gweiddi. Teimlai Mair ryw gochni'n codi ar ei brest. Doedd dim bagal tani.

'Beth wyt ti wedi bod yn weud wrth y crwt 'co?' Roedd llais Sara'n swnio'n fygythiol o uchel.

Edrychodd Mair arni mewn syndod. Roedd hi'n denau fel sgrafell a dim cnawd o gwbwl ar ei gwyneb gwelw.

'Mair?'

Roedd ei llygaid yn ddu a rhyw gysgodion tywyll o'u hamgylch. Daliai i sgrechian gweiddi a safodd rhai siopwyr yn eu hunfan i wrando arni.

'Beth wyt ti wedi bod yn weud wrth y crwt 'co?'

Cododd Eirwyn ei ben gan edrych yn ansicr ar Mair.

'Cer gatre nawr, de...' meddai Mair yn ddistaw a'i bochau bellach yn goch, goch.

'Beth?'

'Paid â neud rhyw seiens...'

'Ti'n meddwl bod ti'n galler gweud wrtha i beth i neud, wyt ti? Falle bod ti wedi llwyddo 'da 'ngŵr i, ond dyw e ddim yn mynd i witho 'da fi, ti'n deall?'

Roedd rhyw wres rhyfedd yn berwi yng nghorff Mair wrth i bobol lygadu'r ddwy.

'Dere nawr te... cer gatre. Gewn ni siarad rywbryd 'to...'

'Siarad?' poerodd Sara. ''Na beth ti 'di bod yn neud 'da Dafydd. Rhoi rhyw hen syniade twp yn 'i ben e.'

Roedd Eirwyn wedi mentro allan o'r tu ôl i'w gownter.

'O 'co ni... pwy yw hwn wedyn, 'te... sboner arall?' Trodd mam Dafydd ei phen yn drwm yn ôl i gyfeiriad Mair. 'Des i i dy weld ti gatre...'

Edrychodd Mair ar y llawr.

'Ma fe isie bennu 'da'r busnes... mynd bant i rywle... gadel y groten 'na sy 'da fe. Ti'n mynd i fynd â Dafydd oddi arna i 'fyd, on'd wyt ti?'

Roedd hi'n dorcalonnus o fach. Tynnodd ei siwmper frwnt i lawr dros ei chefn.

'Ma isie iddo fe ddysgu watsho ar ôl 'i fusnes...'

Roedd ei gwyneb yn hen. Teimlai Mair ryw hen friw yn cosi. Ffaelodd ymatal rhag ei grafu. 'Cyfrifoldeb?' gofynnodd Mair a hanner gwên ar ei gwyneb.

Sylwodd Mo fod y gofalwr wedi cyrraedd.

'Paid ti â chwerthin ar 'y mhen i. Dy fai di yw hyn i gyd, ti'n clywed?'

Camodd y gofalwr o'i blaen. Roedd grwpiau o siopwyr yn sibrwd wrth ei gilydd a rhai eraill yn llusgo'u plant ifanc i ffwrdd.

'Pam na allet ti 'di'n gadel ni i fod? Pam ni?' gweiddodd dros ysgwydd y gofalwr. Cydiodd y gofalwr ynddi ac wrth iddo wneud fe ddechreuodd hi sgrechian a chicio fwyfwy. Cyrhaeddodd Dafydd, ei wynt yn ei ddwrn, a'i lygad wedi chwyddo'n ddu. Cydiodd yn ei fam a'i thawelu.

'Paid Mam... plîs... paid... bydd ddistaw.' Roedd ei fochau'n goch a'i ysgwyddau wedi crymu dan lygaid yr holl bobol. Edrychodd i gyfeiriad Mair a gwyn ei lygaid yn amlwg. Teimlai honno'i chalon yn oeri. Arweiniodd Dafydd ei fam i ffwrdd.

'Cerwch o 'ma...' gwaeddodd Mo ar bawb mewn ymdrech i

geisio gwasgaru'r dorf.

'Hi laddodd e!'

Daeth y llais i glustiau'r ddwy wrth i Mo glosio at Mair. Troiodd Eirwyn ei gefn yn ansicr a gwasgarodd y dorf wrth i'r geiriau chwyrlïo o gwmpas Mair. Ceisiodd Mo gydio yn ei llaw.

'Hi laddodd e!'

'Mair…'

'Paid… Paid â gwrando arni. Ti'n gwbod beth yw hi…'

Edrychodd Mair i fyw ei llygaid. 'Falle'i bod hi'n iawn…'

'Mair… paid â…' ceisiodd Mo ymresymu, ond roedd Mair yn barod wedi troi ei chefn ac yn casglu'r gemau a'u gwthio'n ôl i mewn i'w bocs.

'Cloia'r stondin i fi,' meddai wrth iddi wthio heibio i Mo a rhuthro tua'r drws a'r bocs wedi ei wasgu'n dynn at ei brest. Gwyliodd Mo hi'n gadael gan doddi i mewn i'r dorf cyn troi at y cownter a chodi'r cwpaned o de a oedd bellach wedi oeri a heb ei chyffwrdd.

PENNOD 15

GWTHIODD Y BEIBL I'R llawr a chodi caead y bocs. Tynnodd y teganau meddal allan a'u taflu ar hyd y lle. Clywai Nanw'n gwenwyno yn y pellter – doedd hi ddim yn hoff o unrhyw newid yn y drefn arferol ac roedd yn ddig wrth Mair am ddod gatre'n gynnar.

Teimlai Mair drymder ei chorff a chlwyfau'r geiriau'n gwaedu'n ddistaw bach y tu mewn iddi. Roedd yr olwg yn llygaid Dafydd yn dal wedi'i serio ar ei chof. Dyna oedd erchyllrta cariad. Bod yn rhaid rhoi cyllyll yn llygaid rhywun arall a'u hogi nhw gyda phob cyffyrddiad. Dim ond ffydd oedd yn amddiffyn wedyn. Y gobaith na fyddai ef neu hi byth yn eu defnyddio.

Roedd Mair yn anadlu'n fas ac yn boenus a chydiodd yn y rhacsyn bach a'r galon galed o waelod y bocs. Tynnodd ef i'r golau a theimlo siâp yr em trwy'r defnydd. Cododd yn ffwdanus oddi ar ei phengliniau a chario'r pecyn tuag at y ddesg. Troiodd y lamp yn gylch o olau ar y ford a gosododd y cwbwl yno. Agorodd y defnydd a'i dwylo'n crynu wrth iddi edrych ar y darn bach o wyrdd marw ar y ford.

Cliriodd le i weithio a chasglu gwêr yn barod i'w doddi. Gwlychodd y garreg mewn alcohol er mwyn ei pharatoi. Gweithiodd yn gyflym a'r tyndra'n cynyddu y tu mewn iddi nes bod ei holl gorff yn teimlo'n galed ac yn dynn. Roedd ei gwddw wedi cau a hithau'n ffaelu gweiddi ar Nanw i fod yn ddistaw. Eisteddodd o flaen yr hen olwyn lyfnu a thynnu'r shiten a amddiffynnai'r olwyn rhag y llwch a'r oerfel. Roedd gwyneb yr olwyn yn llyfn ac yn gyfarwydd a gosododd Mair yr onglau'n gywir er mwyn dechrau ar y gwaith. Gwyddai'n reddfol beth i'w wneud ar ôl blynyddoedd o dorri. Cynnodd gannwyll a thoddi gwêr er mwyn gludo'r garreg ar y darn hir o fetel. Roedd yr holl offer yn glinigol, fel petai hi'n mynd i roi llawdriniaeth ar y galon fach oer. Wedi gludo'r garreg yn ofalus ar y ffon fetel cynhesodd y garreg yng ngolau'r fflam. Roedd arogl y gwêr a'r olwyn yn gyfarwydd ac yn dihuno rhywbeth ymhell y tu fewn iddi. Taflodd ddŵr glân ar hyd talcen yr olwyn cyn dechrau'r peiriant a chlywed y troelli cyfarwydd – arwydd bod rhywbeth ar fin newid ei siâp.

Roedd y chwys yn gynnes ar hyd ei chefn. Ceisiodd reoli'r crynu yn ei dwylo. Caeodd ei llygaid a gweddïo'n dawel yng ngolau'r gannwyll gan glywed yr olwyn yn troi a throelli. Fe'i denwyd hi gan y sŵn i rywle arall, ymhell o'r stafell fach a'r cawdel. Gofynnodd am help a cheisio gwthio pob darn o'r gwyneb gwyn tenau a welsai yn y ffenest ymhell o'i meddwl. Agorodd ei llygaid a thynnu anadl o waelod ei henaid cyn gwasgu boch yr emrallt i lawr ar yr olwyn arw.

Dim ond sŵn siffrwd, siffrwd fel dail wrth i awel godi. Byddai diemwntau'n sgrechian ac yn nadu ac yn crafu'n hyll – ond dim ond sibrwd a wnâi'r emrallt. Teimlai Mair ei chlwyfau'n cosi y tu mewn iddi a gweithiai'n dawel wrth dynnu croen yr emrallt. Anwybyddodd y byd a hithau wedi ymgolli yn y gwaith o siapio. Cyn hir fe ymddangosodd llygad llyfn ar un ochr i'r colsyn tywyll, fel clwyf a'r gwyrddni sgald yn gwaedu allan ohono. Roedd y golau a lifai allan o'r garreg yn falm i'r llygaid a theimlai Mair ryw ryddhad rhyfedd yn ymledu drwyddi. Câi golau ei buro wrth deithio drwy galon carreg a swynwyd ei llygaid gan yr adlewyrchiad glân. Brwsiodd Mair y llwch oddi ar y garreg ac roedd fel petai'n aur yn y golau melyn.

Rhaid rhoi ffenest ar garreg er mwyn edrych i mewn i'w chalon. Byddai hi'n bosib wedyn gweld pob brycheuyn a phob gwendid. Chwifiai fflam y gannwyll yn yr awel ysgafn wrth i'r olwyn symud. Gwthiodd hi'r emrallt yn ôl ar yr olwyn ac ymgolli yn y siffrwd. Roedd pob toriad yn rhyddhau'r wasgfa ym mhen ac yng nghalon Mair a'r rhyddhad yn ddwfn – rhyddhad nad oedd hi wedi teimlo ei debyg erioed o'r blaen. Roedd hi'n feddw, bron; yn feddw ar y sŵn a'r gwaedu golau. Gwasgodd ar y gerwinder nes bod y ffenest yn glir, heb obaith gan frycheuyn guddio, ac yna fe'i tynnodd oddi ar yr olwyn a diffodd y switsh. Tawelwch. Chwythodd Mair arni. Wrth i'r gwêr doddi, fe bliciodd y garreg oddi arni a'i sychu â'r hen glwtyn. Roedd ei chorff yn ysgafn a'r garreg yn goleuo yn ei dwylo wrth iddi godi a chydio mewn chwyddwydr er mwyn edrych yn ddwfn i mewn i'w pherfedd. Am y tro cyntaf ers iddi ddechrau ar y gwaith, fe ddaeth yn ymwybodol o sgrechian enbyd Nanw. Roedd hi'n curo ar fariau ei chaets. Anwybyddodd Mair hi a chodi'r emrallt at y golau. Rhoddodd ei llygaid wrth lygad yr emrallt a syllu i mewn i'r gwyrddni.

Teimlai'n benysgafn a'i hesgyrn yn cloi. Lledodd düwch ei llygaid. Roedd gan y garreg farc geni. Yng nghanol y gwyrddni melfedaidd, roedd ôl bys – swigod o aer yn creu patrwm perffaith. Dilynodd ei llygaid y llinellau tenau'n troelli o fewn gofod y garreg. Gwaethygodd ei chrynu a sadiodd ei hun yn erbyn y ford. Tynnodd ei llygaid yn ôl oddi wrth y chwyddwydr. Roedd gardd mewn emrallt yn weddol gyffredin ond roedd ôl bys yn brin. Byddai'r patrwm yn ei gwneud hi'n fregus ond yn bert ofnadwy pe bai'n llwyddo i'w thorri'n grefftus.

Erbyn i Mair droi ei meddwl oddi ar y garreg, clywai sŵn curo a thwmblo'n dod o'r stafell wely. Rhedodd tuag at y drws, gan wthio'r garreg i mewn i boced ei brat. Agorodd ddrws y stafell wely. Roedd Nanw wedi dianc o'i chaets ac wedi rhacso'i gwely. Gorweddai ei blancedi'n stribedi dros y lle ac roedd hi wedi baeddu ar hyd y llawr. Anadlai Nanw'n drwm wedi ei holl ymdrechion a hithau'n sefyll uwchben un o addurniadau Mair a hwnnw'n deilchion ar y llawr. Roedd y bocs tywyll wedi'i dynnu allan o dan y gwely; roedd Nanw wedi ei agor ac wedi gwasgaru'r lluniau ar hyd y lle. Oerodd calon Mair yn ei brest. Sgrechiodd Nanw a dangos ei dannedd cyn estyn ei breichiau i fyny tuag at Mair a gwenwyno. Edrychodd hithau i mewn i'w llygaid bach duon, yn ansicr am ennyd, cyn plygu'n ara bach a'i chodi.

CADWODD YR EMRALLT HI ar ddihun am oriau, ac yn ystod yr ychydig funudau o gwsg anniddig a gawsai fe fyddai swigod o aur yn troelli yn ei phen fel planedau ar siâp ôl bys. Byddai hi'n dihuno wedyn yn chwys drosti a chodai a mynd i'r stafell orau er mwyn cael edrych ar y garreg a'i theimlo rhwng ei bysedd. Meddyliodd am yr holl doriadau roedd ganddi i'w gwneud a sut y gallai hi sicrhau mai'r gwendid yn y garreg fyddai ei nodwedd hardda. Bu Nanw'n cwyno fwy nag arfer gan fod Mair yn rhoi cymaint o sylw i'r garreg ac fe fyddai hi'n siglo bariau'r caets yn gynddeiriog wrth geisio dianc unwaith eto. Roedd y gath yn eistedd led braich oddi wrthi ac yn dilyn Mair i bobman gan rwbio yn ei choesau, yn ôl ac ymlaen, yn chwilio am sicrwydd.

Doedd Mair ddim wedi bod yn ôl yn y farced ar ôl yr helynt a byddai ei bochau'n cochi wrth feddwl amdano. Roedd y blinder yn ei gwneud yn ddryslyd a hithau'n ffaelu'n deg ag ymlonyddu i weddïo. Heddiw, roedd hi wedi bod ar ei phengliniau ers oriau yn ceisio gwasgu pob bribsyn o'r emrallt o'i meddwl. Doedd hi ddim wedi bwyta nac yfed yn iawn ers diwrnodau.

Ei thad oedd wedi ei dysgu i weddïo, a buodd yn erfyn am faddeuant ac yn diolch am bob beth a gâi, bob dydd o'i bywyd bron. Fe fyddai e'n arfer gwneud iddi benglinio am oriau, er mwyn ei hatgoffa pa mor bwysig yw bod yn ddiolchgar bob amser. Pan oedd hi'n groten ifanc, byddai'n gwthio hancesi i mewn i'w sanau hir gwlân er mwyn osgoi cael pengliniau tost ar ôl plygu ar lawr caled y gegin. Fe fwrodd ei thad hi ar draws ei choesau â'i ffon pan welodd hances yn cwmpo o'i hosan un diwrnod. Cafodd bregeth ganddo'n pwysleisio cymaint o boen roedd Iesu wedi'i ddioddef ac na ddylai hi gwyno am orfod penglinio ar lawr caled. Gofynnodd hi iddo wedyn pam roedd yn rhaid iddi ddioddef o gwbwl os mai gwaith yr Iesu oedd dioddef droston ni i gyd.

Buodd hi'n gwinio patrymau ar fantell o dan oruchwyliaeth Miss Jones, drws nesa, am wythnosau fel cosb. Doedd gan ei thad ddim syniad sut roedd cosbi merch. Ar ôl bod wrthi nes bod ei bysedd hi'n dost, fe gafodd hi gleren arall 'da honno pan ofynnodd iddi pam roedd arni eisiau gymaint o addurniadau crand ar y dillad gan fod Iesu wedi gorfod byw mewn carpiau. Wnaeth hi ddim trio'r un tric ddwywaith ond, yn rhyfedd, fe ddaeth hi i lico gweddïo. Byddai'n suddo i mewn i'w hisymwybod ac yn meddwl am bob math o bethau yn y tawelwch. Gallai adael i'w meddwl grwydro i bob man dros y byd i gyd. Roedd hi'n rhyfedd beth gallai merch ifanc feddwl amdano yn nyfnder ei gweddïau – er ei bod hi'n siŵr y byddai ei thad â'i bastwn allan petai e'n galler darllen cynnwys ei gweddïau.

Ceisiodd ganolbwyntio unwaith eto. Gweddïodd am gael help gyda'r farced a thros Mo a Dai. Gweddïodd dros fam Dafydd a gweddïodd dros Dafydd, ac yntau ar drothwy troi'n ddyn. Gweddïodd dros enaid y ferch ifanc ar gefn ei beic a gofyn iddo gofio am bawb arall yn y lluniau hefyd. Gweddïodd dros Nanw ac, yn ola, dros Eirwyn. Gweddïodd wedyn am yr eneidiau yn y beddi newydd ac am y rhai oedd yn cael eu sugno'n ôl i'r ddaear dan y cerrig beddi trymion. Gweddïodd am oriau nes ei bod hi'n oer, yn dost ac yn boenau drosti. Gadawodd i'w meddwl lithro gan wrando ar dician tawel y cloc.

Cnociodd Mo'n ysgafn ar y drws. Roedd y llenni ar gau. Roedd Mo wedi galw heibio bob dydd ers y cythrwfwl yn y farced, ond heb gael llawer o lwc. Edrychodd i mewn drwy'r ffenestri gan geisio cael cip trwy'r llenni trwchus. Gweiddodd gan wneud i Nanw neidio'n nerfus. Clywodd Mair lais Mo trwy'r tywyllwch. Agorodd ei llygaid. Roedd ei holl gorff yn stiff a'i chefn yn gwynio.

Ceisiodd godi, ond roedd ei choesau'n sigledig. Hyrddiodd ei chorff ymlaen gan estyn am y lle tân. Cwympodd drych oddi ar y pentan a chwalu'n deilchion ar y llawr teils.

'Mair! Mair! Ateb y drws, groten. Mair!'

Roedd Mo'n bwrw'i dwrn ar y drws erbyn hyn.

Tynnodd Mair ei hun i fyny gan deimlo pa mor sigledig roedd ei chorff bellach. Roedd tamed o'r gwydr wedi sleisio trwy gledr ei llaw.

'Mair!'

Edrychodd Mair o'i chwmpas mewn penbleth. Deuai drewdod o gaets Nanw. Roedd angen ei lanhau. Cododd yn ara bach gan rwbio'i phen a cheisio rheoli'i chryndod cyn cerdded yn ansicr at y drws.

'Mair! Dere at y drws.'

Trodd Mair y bwlyn yn ara bach a gwthiodd Mo ei ffordd i mewn. Cydiodd Mo ynddi ac roedd yr edrychiad ar ei gwyneb yn dangos difrifoldeb sefyllfa Mair.

'Nawr te…

'O'n… o'n i'n…

'*Shshsh* wir… byddi di'n iawn… dere di, dere di. Drycha ar dy law di.'

Arweiniodd Mo hi'n ôl i eistedd ar y gwely. Rhoddodd lonydd i Mair i ddod ati'i hun ac aeth i baratoi tamaid o ginio.

'*Shshshsh*…' meddai wedi dychwelyd ati gan rwbio'i dwylo yn ei rhai hi i'w cynhesu. Yna sylwodd ar y drych yn deilchion ar y llawr. 'Wel, ma saith mlynedd o anlwc 'da ti nawr. Lwcus bod ti ddim yn ofergoelus fel fi.' Gwenodd ar Mair. 'Nawr te, dere i ti gal molchyd a matryd tra bod y tato'n berwi. Ti'n wyn fel y gobennydd 'na.'

Nodiodd Mair ac eistedd tra buodd Mo'n rhedeg dŵr twym. Daeth yn ôl â basn i Mair a thynnodd hithau ei gŵn-nos dros ei phen gan wneud i Nanw chwerthin. Chwiliodd Mo yn un o'r droriau am ddillad isaf glân iddi a siwmper gynnes a throwser. Sylwodd Mo fod Mair yn stiff ac yn cael ffwdan plygu. Gwthiodd hi'n ôl ar y gwely a gwisgo pâr o sanau glân am ei thraed. 'Dow, ti'n swanc nawr,' meddai.

Glanhaodd y cwt ar gledr llaw Mair â dŵr a halen a gwasgodd blastar yn llyfn arno. Aeth i'r gegin i fwtso'r tato a chymysgu menyn a 'bach o halen yn eu canol cyn cario plated i Mair. Edrychodd honno i fyny arni.

'Nawr te, 'co ti a llai o'r nonsens 'ma.' Gwenodd Mo wrth estyn y plât iddi. Eisteddodd ar y stôl gerllaw ac edrych o'i chwmpas. Doedd hi ddim wedi cael dod i mewn i'r tŷ ers misoedd. Bob tro y câi Mair bwl o iselder châi Mo ddim croeso i ddod dros riniog y drws. Yn aml, byddai Mair yn sefyll ar stepen y drws yn aros amdani pan fyddai'r ddwy wedi trefnu mynd i waco. Llygadodd Mo y lluniau ar y silff ben tân – merch ar gefn beic a gwynebau pobol eraill nad oedd hi'n eu nabod. Roedd y pentan yn gwegian o wynebau dierth.

'Sdim isie i ti fecso am ddod 'nôl i'r farced. Do's neb yn meddwl dim byd am y peth erbyn hyn,' meddai Mo gan ddarllen ei meddyliau.

Doedd Mair ddim yn bwyta.

'Ma'r holl fusnes 'na'n hen beth erbyn nawr a ma hi'n bryd i'r groten 'na symud mlân,' meddai Mo wrth fwrw miwn i'r tato.

Cochodd Mair a rhoi ei fforc i lawr. 'Ond beth os yw hi'n iawn?' gofynnodd yn dawel.

'Dyw hi ddim yn iawn,' atebodd Mo wrth ddechrau bwyta.

'Ond…'

'Damwen o'dd hi… a 'na ddiwedd arni.'

'Ond dod i 'ngweld i o'dd e… se ni wedi…'

''Yn ni i gyd yn galler meddwl fel'na… 'se ni wedi neud hyn yn lle rhywbeth arall o hyd. Sdim tamed o iws. Un llwybr sy 'da ni a 'na fe.'

Llonyddodd Mair.

'Gest ti dy roi ar y llwybr, tweld…'

Edrychodd Mo arni a meddalodd ei gwyneb. 'O'dd 'i amser e lan… do'dd dim byd galle unrhyw un neud…'

Buodd y ddwy'n dawel am yn hir.

''Yf fi'n gwbod 'i bod hi wedi bod yn 'i hadel e rhag dod i 'ngweld i.'

'Dafydd?'

Nodiodd Mair.

'Wel, bydd e'n un ar hugen cyn hir ac yn ddigon hen i ofalu am 'i fusnes 'i hunan.'

Bwytodd Mo'n ei chyfer gan bwyso'n anymwybodol ymhellach i ffwrdd oddi wrth Nanw. Meddyliodd Mair pa mor braf fyddai gallu meddwl fel Mo.

'O'dd hi mor dene…'

Edrychodd Mo arni a'i llygaid yn llawn consýrn.

'Pam na wedes ti 'i bod hi wedi bod 'ma?'

'F… Fi'm yn gwbod. Ma'n siŵr bod pobol yn siarad…'

'Os gwrandi di ar be ma pobl yn weud fe gredi di'r pethe rhyfedda… Byt nawr, te. Ma isie i ti gryfhau – anghofio potsian â'r pethe 'ma. Ei di ddim mlân os wyt ti'n edrych am 'nôl o hyd.'

Nodiodd Mair.

'Byt ddigon nawr, te a chynnwn ni dân mawr i wresogi'r lle 'ma… a chymhennu tamed.'

Erbyn canol y prynhawn roedd Mair yn edrych yn well a Mo wedi golchi ychydig o ddillad yn sinc y gegin a'u hongian ar y lein yn yr ardd fach. Roedd caets Nanw wedi'i lanhau a dillad y gwely wedi'u newid. A hithe'n teimlo'n gryfach fe roddodd Mair yr emrallt i gadw yng ngwaelod y bocs i sŵn canu Mo wrth iddi sychu bord y gegin.

Ar ôl ffarwelio â Mo'n ddiweddarach ac addo iddi ganwaith ei bod hi'n teimlo'n well, fe arllwysodd Mair frandi o hen botel yn un o'r cypyrddau yn y gegin i mewn i wydred o lath. Gosododd ef ar y pentan i gynhesu chydig bach. Edrychodd ar Nanw a oedd yn gwylio pob symudiad. Agorodd Mair y caets a gadael iddi eistedd yn ei chôl tra yfai'r llath. Cydiodd y mwnci bach ynddi o gwmpas ei gwddf a gwthio'i phen o dan ei gên. Ar ôl iddi orffen, fe orweddodd Mair drwyn yn drwyn â Nanw ar y gwely a hithau'n fodlon ei byd. Cribodd Nanw ei dwylo bach trwy wallt Mair a theimlai Mair ei hun yn cael ei thynnu i ddyfnder cwsg. Syllodd y ddwy ar ei gilydd am amser hir wrth iddi nosi ac fe welodd Mair ryw dristwch dychrynllyd yn llygaid anneallus y mwnci.

FE AETH MAIR YN ôl i'r farced drennydd. Roedd pawb wedi anghofio am yr halibalŵ, wrth gwrs, fel y dywedodd Mo wrthi, a chan fod pobl newydd yn dod drwy'r drysau bob dydd, sylwodd neb ar ymdrech Mair i gadw'i phen yn uchel. Roedd llai o bobl yn y farced gan fod y sôn ei bod hi'n mynd i gau yn dechrau dangos ei draul, ond fe fwynhaodd hi'r dydd sach 'ny. Fe gath hi a Mo gacen gan ferched y becws amser te a buodd hi a Mo a Ieuan yn rhoi'r byd yn ei le. Dywedodd hwnnw nad oedd llawer o obaith cadw'r farced ar agor ond bod pwyllgorau'n dal i gwrdd i drafod y mater. Roedd stondin Dafydd wedi bod ar gau ers diwrnodau bellach, yn ôl Mo, a doedd neb wedi gweld pip ohono fe. Ymresymodd Mair ei fod e'n siŵr o fod yn edrych ar ôl ei fam.

Ar ôl iddyn nhw orffen am y dydd, fe ddringodd y ddwy i mewn i gar Mo a gyrru allan o'r dre gan anelu am dir gwastad y dyffryn gerllaw.

'Ma pen-blwydd Dafydd wsnos nesa,' meddai Mair wrth wasgu'i bocs yn dynn at ei chôl.

Roedd Mo'n ceisio darllen rhyw gyfarwyddiadau roedd hi wedi'u hysgrifennu ar gefn darn o focs sebon.

'Ydy e?' gofynnodd Mo gan stwffio'r papur yn ôl i mewn i boced y drws. ''Yf fi'n un ar hugen bob blwyddyn.'

Gwenodd Mair yn dawel arni. Agorodd Mo'r ffenest a gadael i un llaw deimlo pwysau'r gwynt wrth iddi yrru. Ymlaciodd ysgwyddau Mair.

''Yf fi wedi prynu cwpwl o bethau ar gyfer y picnic yn barod.

Fe ddalith hi'n braf, siŵr o fod – ma fe'n lwcus bob blwyddyn.'

Cadwodd Mo'n dawel. Roedd hi a Dai wedi bod yn siarad echnos ac wedi penderfynu gorffen yn y farced cyn diwedd yr haf. Doedd hi ddim wedi gweld Mair yn ysgafn ei throed fel hyn ers sbel, felly penderfynodd nad oedd yn amser da i dorri'r newyddion iddi.

Roedd y ffarm ar gyrion y dre mewn lle anghysbell flynyddoedd yn ôl ond erbyn hyn roedd rhibin o dai yn agosáu ati o flwyddyn i flwyddyn. Gyrrodd Mo i fyny yno gan gadw un teiar ar y borfa yng nghanol yr hewl. Parciodd y car ar y clos. Wrth i'r ddwy adael y car buodd yn rhaid i Mo bysgota yn ei phoced gan fod honno'n drwm o allweddi.

'Dy'n ni ddim wedi bod mewn tŷ ffarm ers sbel,' meddai Mo gan ddilyn yr hen lwybr trwy'r ardd gymen. Roedd tomen fach ar waelod yr ardd a llysiau'n tyfu'n rhesi milwrol arni a hen badell ar ben y twlc gyda blodau wedi'u plannu ynddi. Glas tywyll oedd drws y tŷ, a hwnnw wedi'i baentio'n deidi. Gwthiodd Mo yn erbyn y drws i'w agor a sefodd y ddwy am eiliad mewn gweddi dawel. Roedd y cyntedd yn wag a sodlau Mo'n tap-tapio ar hyd y teils oren a du. Rhedodd Mair ei bysedd dros ddarn o'r papur wal blodeuog cyn codi cliced y drws isel i fynd i mewn i'r gegin orau. Stafell fach oedd hi ac un ffenest yn y wal drwchus yn edrych mas dros y clos. Roedd yno ddreser ac ychydig o jygiau'n hongian ar y bariau halltu yn y to. Doedd dim celfi na llun na dim byd yn y stafell, dim ond y llawr llechi wedi'i ysgubo'n lân a brasys ceffylau gwedd yn hongian ar y welydd bob ochr i'r lle tân. Crogai hen ddrych ar hoelen uwchben y silff ben tân a'r paent o'i gwmpas wedi tywyllu damed erbyn hyn o ganlyniad i fwg o'r lle tân dros y blynyddoedd.

Drwy'r twll yn y wal y bydden nhw'n arfer pasio bwyd yn ôl

ac ymlaen o'r gegin i'r gegin orau. Caeodd Mair y drws. Roedd y gegin yn llawn cypyrddau glas golau o'r pumdegau a chylchoedd o wydr patrymog hirgrwn ar eu copaon. Roedd y ffyrcs a'r cyllyll wedi'u trefnu'n fwndeli'n barod. Edrychodd Mo arni a chrychu'i thalcen. I fyny'r grisiau cul, roedd yna dair stafell wely fach a stafell molchi y gallech chi ei chyrraedd wrth fynd trwy ddwy o'r stafelloedd gwely. Doedd dim golwg o unrhyw addurn yn unman yn y llofft a theimlai Mair ryw oerni'n dod drosti'n sydyn. Roedd Mo'n marcio'r limpress ar y landin.

'Sdim lot o waith i ni fan hyn, o's e?' gofynnodd, wrth i Mair wthio heibio iddi.

Plygodd Mair ei phen er mwyn osgoi un o'r trawstiau isel a orffwysai ar asgwrn cefn wal y to. Roedd popeth wedi'i bacio ar gyfer ei storio, y carpedi wedi'u rholio a'r gwelyau wedi eu tannu. Aeth Mair i'r stafell wely ym mhen draw'r llofft. Gwely sengl a chorneli'r dillad wedi eu plygu'n ddigon siarp i dynnu gwaed. Cwpwrdd ar bwys y gwely. Beibl, llyfr garddio. Sbectol ddarllen. Caeodd y drôr. Tynnwyd ei sylw gan hen ddesg o flaen y ffenest fach. Roedd cymylau o inc tywyll yng ngraen y pren. Closiodd at y ddesg fach a rhedeg ei bysedd dros y staeniau – yr unig rai a welsai drwy'r tŷ i gyd. Roedd hyd yn oed smotiau o inc ar hyd y llawr.

Eisteddodd Mair yn y gadair ac agor un o'r droriau. Wrth iddi wneud, fe neidiodd amlenni allan ohoni – fe gawson nhw eu gwasgu i mewn mor dynn fel eu bod nhw'n ysu am gael dod allan. Llithrodd yr amlenni rhwng ei bysedd ac ar hyd y llawr. Plygodd i'w codi'n gyflym a'i bochau'n cochi. Edrychodd ar yr enwau ar yr amlenni. Siân Evans, Mr Jones, Lloyd George, Saunders. Crychodd ei thalcen. Roedd cannoedd yma, gwaith blynyddoedd o sgrifennu. Wrth iddi dwrio fe ddaeth rhagor i'r golwg. Rhai at enwau adnabyddus. Rhai'n enwau cyffredin. Edrychodd i fyny a chau drws y stafell. Roedd Mo'n canu'n hapus yn rhywle. Edrychodd Mair dros ei hysgwydd cyn gwthio bys o dan gesail un o'r amlenni. Llythyr caru. Llythyr at ei gariad cyntaf yn y pentre. Tudalen ar ôl tudalen yn cyfleu ei holl deimladau. Agorodd un arall yn awchus. Rhestri oedd yn hon. Rhestr o'r holl geir y bu'n berchennog arnyn nhw. Tynnodd Mair ar ei choler. Cynhyrfodd drosti a theimlo'r cryndod cyfarwydd yn ei bola. Doedd dim awyr iach yn y stafell. Cododd ac agor y ffenest cyn mynd yn ôl i ddarllen. Neidiodd ei llygaid ar draws y llinellau.

'Mair?'

Caeodd y drôr yn gyflym a dal un llythyr yn ei chôl. Roedd hi'n siŵr y gallai Mo weld ei chalon yn curo yn ei brest. Teimlai'r gwendid cyfarwydd hwnnw.

'Ti'n dawel, gwlei.' Daeth Mo i mewn o'r tu ôl i'r drws. 'Drycha beth ffindies i,' meddai hi gan ddangos ffrâm i Mair. Roedd y rhif pum deg arni mewn coch.

'Mae e'n edrych yn gyfarwydd, on'd yw e?'

Gollyngodd Mair y llythyr a chydio yn y ffrâm. Roedd y pâr yn gwenu'n hapus, eu dwylo wedi cydblethu, a'r gyllell yn hofran dros gacen.

Gwelodd Mair. 'Y dyn tawel,' meddai hi a'i llais yn diffodd.

'Beth?' gofynnodd Mo, gan gymryd y ffrâm oddi arni.

'B... b... brynes i gwpwl o bethe 'dag e gwpwl o fisodd 'nôl – modrwy a dwy froetsh.'

'O'n i'n meddwl 'i fod e'n edrych yn gyfarwydd, ond 'yn ni'n gweld cyment, ma nhw i gyd yn edrych yr un peth i fi,' atebodd Mo gan edrych ar y wardrob a phenderfynu nad oedd yn ddigon gwerthfawr i'w llusgo i ocsiwn.

'Beth yw hwnna?' Nodiodd Mo at y llythyr yn ei chôl.

'Dim byd…'

'Wyt ti ddim yn casglu rhagor o rybish, wyt ti?'

Teimlai Mair y papur brau yn ei bysedd a neidiodd i'w amddiffyn.

'Na… na… ond gwell i fi gadw rhein, siŵr o fod.'

Edrychodd Mo arni am yn hir ond trodd hithau ei llygaid at y llythyr.

''Na fe, os ti'n siŵr bod rhaid i ti…'

Troiodd ei chefn yn ara a mynd i orffen ei gwaith yn y stafelloedd eraill tra bod Mair yn gwthio'r llythyron i mewn i sach ddu. Caeodd y drws ar ei hôl a dilyn Mo i lawr y grisiau.

'Fuon ni ddim yn hir fan'na, Mair… Ych a fi, ma fe'n hela rhywbeth trwyddot ti.'

'Beth?'

'Paratoi fel'na.'

'Be ti'n feddwl?'

'Sdim neb ar 'i ôl e, tweld… 'Nath e lanhau'r lle mas i gyd 'i hunan…'

'Ond shwt nath e…?' cychwynnodd Mair wrth gyrraedd y stepen waelod.

'Crogi,' meddai Mo'n syml. 'Paratoiodd e'r cwbwl gynta ac wedyn crogi'i hunan.'

Rhwbiodd Mo ei breichiau a nodio ar Mair i'w dilyn er mwyn iddi gael cloi'r drws. Cydiodd Mair yn y sach o lythyrau'n dynn yn ei breichiau ac wrth i'r ddwy yrru o'r clos fe wyliodd Mair ddwy wennol yn cecran o dan y bondo, yn ffaelu'n deg â chytuno ble i adeiladu eu nyth.

PENNOD 18

UN AR DDEG Y bore a chymylau bola mecryll yn arian ar hyd y gorwel. Roedd Mehefin yn cuddio yn y cloddiau a'r eithin yn felyn sgald yn erbyn yr awyr las. Roedd Mair wedi cysgu'n aflonydd ac wedi dihuno i wrando ar Nanw'n gwneud sŵn yn ei chwsg.

Y noson gyntaf ar ôl clirio'r tŷ ffarm fe weddïodd dros y dyn tawel drwy'r nos nes ei bod hi'n dyddio. Roedd hi wedi ffaelu'n deg ag agor hyd yn oed un arall o'r llythyron taclus. Fe eisteddodd ar y gwely am oriau a'i ysgrifen e'n sibrwd o'i hamgylch wrth iddi symud – sibrwd yn uwch nag a wnaeth y dyn ei hunan gyda'i gap yn ei ddwylo. Ar ôl rhyw wythnos neu ddwy roedd ei chydwybod wedi meddalu dipyn; erbyn hynny codai'i llygaid craff y llythrennau ar bob tudalen ac edrychai o dan y geiriau gan ddatgymalu pob rhestr a phatrwm. Roedd hi'n tolio darllen y llythyron hefyd ac yn gwneud tamed o swper iddi hi ei hun ar ôl dod yn ôl o'r farced cyn eistedd yn y tawelwch a gadael i'r llinellau doddi dros ei bysedd ac i'r meddyliau arllwys dros y gwely i gyd.

Roedd enaid a bywyd y dyn tawel erbyn hyn yn noeth ar wely Mair ynghanol y pentwr o dudalennau a'r amlenni bellach i gyd yn wag. Doedd hi ddim yn syndod iddi felly nad oedd gair ar ôl ganddo i'w gynnig pan ddaeth i werthu'r gemwaith yn dawel iddi yn y farced. Edrychodd Mair ar y llythyr a sgrifennodd at ei wraig ar ôl iddyn nhw ffaelu â chael plant. Roedd hi wedi ailddarllen y llythyr sawl gwaith ers iddi oleuo ac ym mêr ei hesgyrn gwyddai na fyddai ef wedi gallu mynegi'r un o'r geiriau a oedd yn y llythyr, pe bai ef wyneb yn wyneb â'i wraig. Roedd hi'n chwilio am y llythyr ola, rhywbeth i esbonio beth a'i gwthiodd o dan y don yn gyfan gwbwl, ond roedd y llythyron wedi'u cymysgu i gyd, heb fod mewn unrhyw drefn, a hithau'n sbecian ar ei hanesion yn ei ieuenctid a'i henoed heb unrhyw fath o batrwm iddyn nhw. Rhwbiodd ei phen a chodi unwaith eto er mwyn mynd i wneud te gan wrando'n astud am sŵn rhywun yn cyrraedd wrth basio heibio'r drws. Doedd dim un smic i'w glywed, dim ond awel ysgafn gynnes yn goglais y coed o gwmpas y tŷ.

Roedd anrheg Dafydd yn barod wedi'i lapio'n deidi ar ford y gegin. Roedd carden yno hefyd, mewn amlen lân wen. Buodd Mair yn meddwl am wythnosau beth i'w brynu iddo ac roedd hi wedi penderfynu ar tsiaen syml o aur cynnes am ei wddf. Roedd hi'n hen, yn drwchus ac yn gryf, a byddai cynhesrwydd yr aur cochlyd yn gweddu i'w groen golau. Cydiodd Mair yn y pecyn a'i gario'n ôl i'r stafell wely. Roedd y gath yn eistedd ar sil y ffenest yn edrych i mewn i'r stafell ac yn gwylio Nanw'n cysgu. Gosododd Mair yr anrheg ar y gwely ac eistedd ar ei bwys.

Bob pen-blwydd, fel pader, fe alwai Dafydd heibio a byddai'r ddau'n treulio'r dydd ar lan y môr. Byddai'r haul ifanc yn ddechrau ar dymor yr haf i Mair a hithau'n ffaelu'n deg â chofio'r hafau cyn i Dafydd ddod i fodolaeth. Byddai hi'n eistedd ar dywel ac yn codi'i sgert ychydig dros ei phengliniau tra byddai Dafydd yn rhedeg yn ôl ac ymlaen ar ôl ymdrochi yn y tonnau. Gwenodd wrth feddwl amdano. Flynyddoedd yn ôl fe fyddai'n hela ofan arni, gan fod y traeth yn anghysbell a thawel a hithau'n gwybod na allai hi ei achub pe bai'n mynd i drwbwl gan ei bod hi'n dwlu o ofan y môr. Ond ers blynyddoedd bellach roedd ef fel pe bai'n perthyn yno ar y traeth, a'i groen yn halen i gyd.

Roedd hi bron yn amser cinio. Byddai'n cyrraedd yno cyn

hir, mae'n siŵr. Gwnaeth damed o docyn yn y gegin a bwydo Nanw. Llenwodd y rholiau â chig a dail salad a'u gosod nhw'n ofalus yng nghornel y fasged fwyd ar y ford. Dechreuodd edrych ar y cloc yn amlach. Cymhennodd ychydig ar y llythyron a gwthio rhai ohonyn nhw yn ôl i'w hamlenni. Roedd hi bron yn ddau o'r gloch. Ymresymodd y byddai'n well peidio â bod allan yn yr haul yr adeg yma o'r dydd, beth bynnag. Gallai hi ddychmygu ei wyneb yn y drws fel arfer ac er ei fod wedi tyfu'n ddyn ifanc ers blynyddoedd bellach, roedd yna ryw wên blentynnaidd yn ei lygaid, wrth iddyn nhw gerdded y llwybr hir i lawr at lan y môr − doedd dim angen i'r un o'r ddau 'weud 'run gair. Dechreuodd gymhennu tamed o gwmpas y tŷ. Golchodd y llestri a sortio ychydig ar y bocsys a oedd yn gorwedd yn y coridor. Meddyliodd am ddechrau ar ychydig o waith. Roedd ganddi neclis i'w thrwsio, ond roedd hi'n hen bryd i Dafydd gyrraedd bellach. Aeth allan i'r coridor unwaith eto a gwrando. Dim byd. Aeth yn ôl ac eistedd ar y gwely. Roedd hi bron yn bump. Syllodd ar yr anrheg yn gorwedd ymysg plygiadau ei gwely.

Sŵn traed. Cododd ei phen a neidio ar ei thraed, gan bwyllo ac arafu ychydig cyn agor y drws.

'Mair?'

Gwyddai'n syth pwy oedd y ferch. Roedd ei gwallt yn hir ac yn ddu ac ôl llefen ar ei gwyneb.

'Ie?'

'Catrin 'yf i...' Disgwyliodd am ryw arwydd o adnabyddiaeth gan Mair. Wnaeth honno ddim ymateb.

'O, ife...?' Syllodd Mair arni'n llonydd.

'Odych chi'n gwbod ble ma Dafydd?'

Tynhaodd stumog Mair wrth glywed ei enw.

'Dafydd?'

'Ble ma fe?…' Edrychodd y ferch o'i chwmpas yn ansicr. 'Yf fi'n cofio fe'n gweud ei fod e'n arfer dod atoch chi ar ddydd ei ben-blwydd… ody fe 'ma?'

Roedd hi'n edrych yn wan ac yn llwyd. Arhosodd Mair cyn dweud gair.

'Ma fe'n pallu ateb y ffôn,' ychwanegodd y ferch.

'Pam nad ei di i'w gatre fe te?' gofynnodd Mair a'i llais yn llyfn.

Dechreuodd hi lefen. 'D… dw i ddim… fues i ddim yn 'i gatre fe eriod. O'dd e'n pallu…'

Fyddai Dafydd ddim yn rhy falch o adael i'w gariad weld ei fam yn y fath stad, meddyliodd Mair. Ymlaciodd dipyn a meddalu.

'Dere i mewn,' a dilynodd y ferch hi'n ufudd i'r stafell wely.

'Istedda fan'na. Af i moyn dŵr i ti nawr.'

Eisteddodd y ferch yn dawel a sychu'i dagrau yn llawes ei siwmper. Aeth Mair i'r gegin i moyn y dŵr gan feddwl beth allai ddweud wrthi. Pan ddaeth hi'n ôl, roedd y ferch yn cydio yn llaw Nanw trwy'r bariau.

'Paid â twtsh ynddi hi, ma hi'n cnoi,' meddai Mair yn gwta. Cydiodd y ferch yn y gwydryn. Roedd ei bysedd hi'n denau. Eisteddodd Mair ar y gwely.

''Se ti'n 'i nabod e'n dda,' meddai gan bwyllo ar ôl bob gair, 'byddet ti'n gwbod 'i fod e'n 'neud hyn ambell waith… mynd i ffwrdd i feddwl. Ro'dd 'i dad e'n arfer 'neud 'run peth yn union.'

Edrychodd Catrin arni a'i llygaid yn llydan agored.

'O'n i ddim yn 'i nabod e…'

'Na…' cytunodd Mair, 'do'dd neb llawer yn…'

Gwyliodd y ferch yn llyncu'r dŵr yn grynedig. Crwydrodd ei llygaid at yr anrheg ar y gwely.

''Ife i Dafydd ma hwnna?'

Cydiodd Mair yn y pecyn a'i guddio tu ôl i'w chefn.

'Rhyngddo fi a fe ma 'ny.' Mesurodd Mair y ferch ifanc â'i llygaid. 'Dyw e ddim yn arwydd da bo ti heb fod yn 'i gatre fe 'to, ody e?' gofynnodd a'i pherfedd yn plycio'n dynnach.

Edrychodd y ferch ar y dŵr am eiliad. 'Fe wedodd e wrtha i, chymod…'

Troiodd Mair i edrych arni.

'Wedodd e wrtha i bo chi'n meddwl 'yn bod ni'n rhy ifanc…'

Llonyddwyd Mair gan y geiriau hyn. Dechreuodd Nanw aflonyddu.

'Ond 'yf fi'n 'i garu fe… neith e newid 'i feddwl… fi'n gwbod neith e…'

Lledodd ysgwyddau Mair.

'Fe ddeith e 'nôl a bydd popeth yn iawn…' Roedd ei llygaid ifanc wedi caledu.

Edrychodd y ddwy ar ei gilydd am yn hir. Roedd ei dagrau wedi sychu. Sylwodd Mair fod Nanw wedi gwthio'i braich trwy'r bariau ac wedi cydio mewn cudyn o wallt du y ferch. Gwenodd Mair gan aros i Nanw dynnu gwallt y ferch yn siarp. Neidiodd Catrin a sgrechian gan golli'r dŵr ar hyd y llawr i gyd. Dyfyriodd Mair y mwnci er mwyn gwneud ei dyletswydd.

''Nes i dy rybuddio di,' meddai Mair a'i gwên yn llonydd. Roedd y dŵr yn diferu i lawr dillad Catrin wrth iddi rwbio ochr ei phen. Neidiai Nanw i fyny ac i lawr gan chwerthin yn wyllt a darnau o wallt hir y ferch rhwng ei bysedd. Edrychodd o'r naill wyneb i'r llall cyn troi ar ei sawdl.

'Dyw'r mwnci 'na ddim yn gall. 'Smoch chi ddim llawer gwell!'

Troiodd Catrin am y drws a rhuthro mas. Dilynodd Mair hi'n ara bach a gwylio'i chefn yn diflannu tuag at y pentre. Sefodd ar stepen y drws am ychydig a thynnu anadl ddwfwn gan deimlo'n ddigon bodlon ei byd.

Roedd y dydd yn aeddfedu ar yr wybren. Edrychodd Mair unwaith eto i'r ddau gyfeiriad, cyn cau'r drws y tu ôl iddi. Aeth yn ôl i'r stafell wely, lle'r oedd Nanw wedi dechrau tawelu erbyn hyn. Gwasgodd gneuen i mewn iddi rhwng y bariau a'i gwylio'n bwyta'n awchus.

''Da 'nghariad i… ti'n hen un fach neis, on'd wyt ti? On'd wyt ti'n hen un fach dda.'

Meddyliodd am Dafydd ac aeth at y lle tân gan gydio mewn cannwyll cyn ei chario at y ffenest. Crafodd y fatsien. Gwyliodd y fflam yn dawnsio gan greu adlewyrchiad ohoni hi ei hun yn y gwydr. Aeth yn ôl i eistedd ar y gwely a thynnu'r garthen amdani. Gwyliodd y fflam trwy'r tywyllwch am hydoedd a thynnodd blinder hi i'w chanol. Meddyliodd am Dafydd allan rhywle yn y tywyllwch yn troi'n ddyn ar ei ben ei hun. Roedd Nanw wedi cael ei swyno gan y golau, ond chlywodd Mair mo'r fflam yn boddi yn y diwedd yn ei gwêr ei hun gan ollwng y stafell mewn tywyllwch.

PENNOD 19

CAMODD MAIR YN ÔL gan edrych i fyny at y tŷ uchel unwaith eto. Doedd dim ateb yno. Roedd hi'n ddiwrnod llachar ac ymwelwyr yn cronni yn eu dillad lliwgar o gwmpas y cei. Eisteddai rhesi o blant yn llinellau oren gan bysgota ar wal yr harbwr a bwcedi coch ar eu pwys. Curodd Mair unwaith eto. Gwrandawodd. Dim byd. Penderfynodd ei throi hi am gatre.

'Mair!'

Safai Eirwyn wrth y giât. Camodd Mair oddi ar garreg y drws.

'Eirwyn, ma'n ddrwg 'da fi 'ych…'

Camodd yntau i fyny'r llwybr. Roedd sach drwm ar ei gefen.

'Na, dim o gwbwl… o'n i…'

'Galla i weld bo chi'n fisi…'

'…wedi bod ar y tra'th.'

Edrychodd Eirwyn arni gan geisio meddwl am rywbeth i'w ddweud ei lygaid yn gwibio rhwng y llawr a gwyneb Mair.

'Ma'r geme 'da fi.'

'O'n i ddim yn disgwl y bydden nhw 'da chi mor glou.'

'Wel, 'yf fi'n cadw rhyw bethe – rhyw ddarne bach yn y tŷ… ar gyfer trwsio pethe gan amla.'

'O, wela i…'

Nodiodd Mair a setlodd y ddau yn ôl i'w tawelwch unwaith eto.

'Ymm… Gwell i chi ddod mewn.'

'Na… na, sa i'n moyn 'ych poeni chi.'

Meddyliodd Eirwyn am eiliad. 'Cwpaned o de?'

Gadawodd Eirwyn y sach ar garreg y drws a thynnu allwedd o'i boced. Roedd halen y môr wedi cyrlio tamed bach ar baent gwyrdd y drws a gorweddai sacheidi o dywod bob ochr iddo, rhag ofn i lefel y dŵr godi'n ddisymwth yn yr harbwr. Cododd Eirwyn y sach unwaith eto; roedd ôl ei gwaelod yn wlyb ar y llechen.

'Dewch i mewn.'

Dilynodd Mair e'n ufudd ar hyd teils patrymog y coridor. Roedd hi'n dywyll yn y tŷ ar ôl bod yn yr haul llachar tu allan a sefodd Mair am eiliad er mwyn dod i arfer â'r golau. Gorweddai sawl gwialen bysgota ar waelod y stâr a chot drwm i'w gwisgo mewn stormydd ar y banister gwaelod. Sylwodd Mair ar gardigan felen olau yn gorwedd ar stepen ar waelod y stâr. Arweiniodd Eirwyn hi i'r gegin fach gul yng nghefn y tŷ. Chwythai'r tegyl ei wres wrth i Mair eistedd wrth y bwrdd. Gwyliodd Eirwyn yn tynnu un o'i gwpanau gorau allan o un o'r cypyrddau. Roedd y ford yn blastar o waith papur ac archebion a chalendr y flwyddyn cynt yn hongian ar hoelen ar y wal. Teimlodd Mair yn ei phoced am y cwdyn bach tryloyw a gwasgodd ef rhwng ei bysedd. Rhoddodd Eirwyn y baned i lawr o'i blaen gan fwmblan rhywbeth am 'dim trefen' wrth wneud. Gwenodd Mair arno.

'Y cloc bach… isie gosod y geme ar y cloc o'n i.'

Nodiodd Mair wrth iddo eistedd godderbyn â hi. Roedd y ford mor fach nes bod eu pengliniau bron yn cyffwrdd.

'Watsh yw hi, mewn gwirionedd, ond o'n i isie neud casyn iddi… gwneud iddi edrych fel cloc tad-cu bach, bach ar gyfer y tŷ.'

Sylwodd Mair fod ei wyneb yn newid wrth iddo siarad.

''Yf fi wedi bod yn gweitho arni hi ers…' Oedodd am eiliad ac edrych ar Mair, '…ers misoedd ar fisoedd.'

'Wel,' meddai Mair, 'ma digon o ddewis 'da fi i chi.'

'Licech chi weld y tŷ?' holodd Eirwyn yn annisgwyl gan edrych arni'n daer.

'Wel, 'na i ddim 'ych…'

Dechreuodd y wên ar wyneb Eirwyn wywo. Oedodd Mair am eiliad.

'Ie, wel, pam lai?'

Cododd Eirwyn yn syth a smwddio'i drowser i lawr dros ei bengliniau â chledr ei law. Cydiodd yn y sach oddi ar y llawr a'i chario dros ei ysgwydd wrth adael y gegin gyda Mair yn ei ddilyn. Dilynodd Mair ei sodlau i fyny'r grisiau. Sylwai fod y carped wedi troelo yn y canol a'r papur yn rhydd mewn ambell le ar y welydd uchel. Roedd hi'n tywyllu hefyd wrth iddyn nhw ddringo o lawr i lawr.

Cyrhaeddodd y ddau'r landin ucha.

''Yf i wedi cau'r stafelloedd 'ma,' eglurodd Eirwyn gan gydio ym mwlyn y drws ag un llaw. 'Sdim llawer o iws 'da fi iddyn nhw bellach.'

Nodiodd Mair.

''Na i ddim troi'r gole mlaen… ma well ichi weld y lle fel ma fe i fod.'

Aeth y ddau i mewn i'r stafell dywyll. Roedd sgwaryn o olau gwan o gwmpas y ffenest lle cawsai rhyw bren ei hoelio ar y fframyn gan oleuo siapiau ar hyd y llawr. Roedd naws oer yno, a rhwbiodd Mair ei breichiau i'w cynhesu. Yn y golau gwan gollyngodd Eirwyn y sach yn y cornel. Edrychodd Mair o'i chwmpas. Roedd hi'n stafell fawr sgwâr – stafell wely orau'r tŷ, siŵr o fod. Gorweddai pentyrrau o froc môr ar y llawr ymhob man, gan gynnwys rhaffau ac ambell ddarn o haearn, a'r cyfan wedi'u siapio gan donnau'r môr.

'Byddwch yn ofalus,' meddai Eirwyn yn dawel a rhoddodd stumog Mair naid wrth iddo gydio yn ei llaw a'i harwain tuag at ddesg yng nghornel y stafell.

Camodd Mair yn ofalus a gwelodd siâp tŷ yn ffurfio yn y gwyll. Teimlai gyffro Eirwyn wrth ei hochor.

'Sefwch fan'na,' meddai gan droi ei gefn ati ac agor to'r tŷ. Tynnodd allan y welydd y tu blaen i'r tŷ gan ei agor fel bocs.

Daeth ei lais yn agosach ati. ''Ych chi'n barod?'

'Odw...' atebodd Mair yn ddistaw.

Ymbalfalodd Eirwyn a'i ddwylo'n crynu am ryw switsh yn y tywyllwch a chlicio'r golau.

Tynnodd Mair anadl siarp. Goleuodd y tŷ i gyd. Disgleiriodd llygaid Eirwyn. Sefodd Mair gan syllu mewn rhyfeddod, gan fod pob stafell yn ddarn o gelf, yn sgleinio o liwiau a chelfi a charpedi. Roedd pob wal wedi'i phapuro a phapur wal sidan yn gwrido yn y golau. Gorweddai carthenni clyd ar bob stôl ac o dan bob gwely bach roedd pâr o sliperi'n aros am rywun. Roedd yno stafell gerdd, hyd yn oed, gyda feiolin fach yn pwyso ar stôl a phiano − gyda llestr o flodau ar ei ben − yn barod i rywun ei chwarae. Uwchben pob lle tân crogai drych bach, ac yn y stafell fyw roedd yna ddreser yn drwm o blatiau gwyn a glas a jygiau'n hongian ar fachynnau. Ar bwys y tân roedd dwy gadair a chath yn cysgu'n drwm ar glustog. Teimlai Mair y gallai hi gamu i mewn iddo yn syth. Ac wrth i'w llygaid ryfeddu ac awchu i lyncu pob manylyn bach fe droiodd Eirwyn ati gan wenu.

'Ma fe'n berffeth, on'd yw e?'

Maldodwyd gwynebau'r ddau gan y golau cynnes cysurus wrth iddo eu goleuo yn y tywyllwch.

'Perffeth,' atebodd Mair a'i gwên yn llenwi mewn boddhad.

WRTH I MAIR DORRI tameidiau o afal i Nanw a'i bwydo drwy'r bariau er mwyn ei themtio i fwyta, roedd hi wedi bod yn meddwl tybed pryd byddai Dafydd adref. Ers diwrnodau bellach, roedd Nanw wedi bod yn gwrthod ei bwyd ac yn eistedd yn fibus yn ei chrwb. Fe gymrodd hi'r darnau afal, ond dim ond eu taflu'n ôl at y bariau wnaeth hi a'u gadael ar y llawr nes eu bod yn troi'n frown yn y gwres. Crychodd Mair ei thalcen a phenderfynu ei gadael hi a'i thymer i ffrwtian yn dawel tra byddai hithau ar gered gyda Mo. Cododd a mynd i 'molchi mewn dŵr oer gan ddal fflanel ar ei thalcen am amser hir gan deimlo hwnnw'n cael ei gynhesu gan wres ei chroen. Gwisgodd flowsen llewys byr a sgert heb bais.

Roedd Mo eisiau mynd i stordy ar gyrion y dref er mwyn sicrhau lle i beth o'r stoc tra byddai hi'n chwilio am werthwr arall i'w gymryd, a llwyddodd i berswadio Mair i fynd gyda hi'n gwmni. Roedd ei byngalo'n gorlifo'n barod, medde hi, a stafelloedd y plant – ers iddyn nhw adael cartref – wedi eu hen lenwi â chreiriau. Doedd dim bripsyn o le yn sbâr a bydde'n rhaid i'r wyrion gysgu ar y llawr ac ar y soffa pan ddeithen nhw draw i aros dros nos. Gwyddai Mair mai dyna oedd ffordd Mo o wneud yn glir iddi ei bod hi am orffen yn y farced cyn bo hir. Doedd dim un o'r ddwy wedi dweud gair, wrth gwrs, am adael y lle.

Casglodd Mo hi wrth y drws yn ei char a gyrru i gyrion y dref. Er bod ffenestri'r hen gar ar agor a'r ddwy mewn llewys byrion roedd hi'n rhy boeth i fyrlymu siarad ac eisteddodd y ddwy mewn myfyrdod anesmwyth gan wrando ar y gwynt yn sisial yn nail y cloddiau. Gwthiai Mo ei sbectol i fyny'i thrwyn yn amlach nag arfer heddiw a'r chwys ar ei thalcen yn llifo yn y gwres.

Adeilad digon dinod oedd y stordy er ei fod yn anferth o ran maint – fel pob adeilad arall a godwyd dros nos bron ar y sgrap o dir anniben ger y dre. Roedd swyddfa fach wrth y fynedfa a dyn yn eistedd gan ddarllen papur newydd o flaen ffan swnllyd. Cododd ei ben. Gwenodd Mo arno.

'Licen i gal golwg ar un o'r stafelloedd 'ma, 'meddai.

Nodiodd y dyn. ''Yf fi bwtu â chwcan mewn fan hyn,' meddai gan droi'r ffan i ffwrdd am eiliad i dawelu'r sŵn fel y gallai siarad â nhw. Gwthiodd daflen i law Mo yn llawn o ysgrifen fân.

'Ma popeth lawr fan'na,' meddai. 'Sdim byd peryglus fod cal 'i gadw 'ma… dim petrol, na dim byd alle fynd ar dân; dim byd sy'n debygol o bydru chwaith. 'Yf fi'n cadw llygad ar bopeth, cofiwch. Ma dydd Sul yn fisi, os 'ych chi'n galler osgoi dod 'ma pryd 'ny. Ma mwy o amser 'da pobl i ddod i mewn dros y penwythnos.' Winciodd yn gyfrinachol. 'Ma hi'n weddol dawel trwy'r wsnoth – ambell i regular, ond a gweud y gwir, fel arfer, welwch chi neb o gwbwl. Chi'n codi'r allwedd o fan hyn ac yn dod 'nôl â hi i fi wedyn. Ma'r prisie ar y gwaelod fan'na.'

Roedd hi'n hen araith – araith roedd ef wedi'i hadrodd dro ar ôl tro – ac eisoes roedd ei lygaid yn crwydro'n ôl tuag at ei bapur newydd. Gwthiodd allwedd i law Mo.

'Cymrwch bip ar y stafell – ma hi draw fan'na,' meddai gan bwyntio at gefn yr adeilad.

'Wel e myn uffarn i!' Chwerthodd Mo a Mair wrth adael y swyddfa gan godi'u hysgwyddau.

Cerddodd y ddwy i ganol yr adeilad gan aros yn agos at ei

gilydd yn reddfol wrth glywed y ffan yn ailddechrau. Roedd y lloriau'n llyfn ac yn lân ac uchder cadeirlan i'r lle. Teimlai Mair fod oerfel adeilad anferth yn falm ar ei chroen, ond rhywsut roedd sŵn eu traed yn tarfu ar y tawelwch sanctaidd a ymdreiddiai drwy'r lle. Roedd yr adeilad yn gwch gwenyn o stafelloedd bach, pob un yn union yr un fath â'r nesa, yn rhesi milwrol mewn coridorau diddiwedd. Crogai clo metel ar bob drws, degau ar ddegau ohonyn nhw yn glymau cadarn er mwyn cadw pobl allan a'r creiriau gwerthfawr yn saff y tu mewn.

'Rhif 545 sydd ar yr allwedd 'ma,' sibrydodd Mo heb wybod yn union pam roedd hi'n sibrwd.

Nodiodd Mair gan edrych ar y rhifau a baentiwyd ar ben pob llwybr hir. Sylweddolodd Mair fod anadlu Mo yn swnllyd yn y gwres llethol.

Yma, ar gyrion y dref, y byddai pobl yn dod â'u heiddo. Fel gwthio hen feddyliau i gefn y meddwl, roedden nhw'n dod â'r hyn nad oedd ei wir angen arnyn nhw gan bentyrru popeth mewn cawell fach a chloi'r drws arnyn nhw. Weithiau, dros dro y byddai'r trefniant; dro arall, fe fydden nhw yno am byth. Roedd gyment o bethau 'da pobl heddiw fel bod eu tai yn rhy fach i gadw pob dim. Pethau dros ben oedden nhw fynycha – hen bethau, nad oedd ganddyn nhw 'run syniad beth i'w wneud â nhw. O bosib bod eu bywydau'n rhy brysur i wynebu'r cawdel a rhoi trefn ar yr holl eiddo. Roedd eraill yn prynu a phrynu gan wbod nad oedd dim lle gwag iddyn nhw yn eu tai ac felly rhaid oedd troi at dawelwch mynachlogaidd y stordy.

Wrth i'r ddwy gerdded i lawr y rhes, fe sylwodd Mair fod ambell ddrws ar agor yma ac acw a sŵn llechwraidd yn y tawelwch yn clapian fod yna rywun y tu mewn i'r stordy yn symud pethau neu'n edrych yn hiraethus ar bethau, yn ychwanegu pethau ond yn ei chael hi'n anodd eu gwaredu. O bosib mai dyma'r lle tawelaf y gallai rhai pobl o'r dre ddod iddo. Pasiodd y ddwy ddrws agored a gweld rhesi o focseidi. Roedd rhywun yn gorwedd ar y llawr mewn sach gysgu ac yn troi tudalennau hen lyfr – yn amlwg yn manteisio ar yr heddwch i ddarllen ei lyfrau. Cerddodd Mo'n gyflymach a thynnu Mair ar ei hôl. Roedd drws arall ar agor a menyw'n eistedd wrth ddesg yn ysgrifennu gyda'r gell o'i chwmpas yn driphlith draphlith o drugareddau. Cododd ei phen a gwenu ar y ddwy wrth iddyn nhw gerdded heibio.

Cyrhaeddodd y ddwy stafell 545. Agorodd Mo'r drws a chamu'n ôl gan mai agor am mas a chodi roedd y drws. Roedd y stafell yn fach ond yn sych a'r waliau wedi'u hadeiladu o friciau llwyd. Cerddodd Mo i mewn. Dilynodd Mair hi.

'Bydde hi'n eitha diflas cal dy gloi mewn fan hyn… ' sibrydodd Mo eto a'i llais yn swnio'n uchel yn y gell fach gyfyng.

''Na shwt ma Nanw'n teimlo, siŵr o fod,' atebodd Mair.

Gwenodd Mo arni.

'Ody ddi'n ddigon mowr?' holodd Mair.

Nodiodd Mo gan edrych o gwmpas. Erbyn hyn roedd ei hanadlu'n fwy swnllyd byth. 'Dim ond dros dro bydd pethe 'ma. Oedodd am eiliad i dynnu anadl. 'Wi'm yn lico'r lle 'ma. Ma fe'n gwasgu ar rywun, on'd yw e?'

Cytunodd Mair mewn tawelwch.

'Geith Dai ddod â'r trugaredde draw.' Edrychodd Mo o'i chwmpas unwaith eto. 'Ma pethe wedi dod i ben yn y farced.' Gan i Mo boeni gymaint am Mair doedd hi ddim wedi ystyried faint byddai hi'n gweld eisiau'r lle. 'Ond hen le… hen le trist yw hwn, on'd ife?'

Edrychodd Mair arni. Roedd doedd dim argoel o'r wên arferol ar ei gwyneb.

'Pob un â bocs yn llawn o gawdel – pob un 'run peth.'

Sefodd y ddwy ac edrych o'u cwmpas. Am y tro cyntaf ers wythnosau, hiraethai Mair am wres yr haul tu allan. Rhwbiodd Mo ei breichiau.

'Fe wellith pethe,' cysurodd Mair hi, gan gofio bod Eirwyn wedi'i chysuro hithau yn yr un modd.

'Gelon ni amser da yn y farced, yn dofe?'

Nodiodd Mair. 'Dere,' meddai gan dynnu Mo ar ei hôl tuag at y drws.

Anadlodd Mo'n uchel a phesychu. ''Yn ni'n clirio'r tai... a ma pethe'n symud mlân... ma pobol yn cal dechre o'r newy...' Edrychodd ar Mair, '...ond ma'r hen le ma'n annaturiol mewn rhyw ffordd, on'd yw e?'

Symudodd Mo o'r diwedd a llwyddodd y ddwy i gau'r drws trwm a theimlo'n ddiolchgar o gael gadael. Edrychodd y ddwy ar ei gilydd am yn hir.

'Gwaith Dai fydd dod â'r pethe 'ma...'

Nodiodd Mair a chydio ym mraich Mo. 'Ewn ni i gal tships nawr... ar lan môr... a *ninety nine* falle.'

'Ti'n iawn,' meddai Mo gan lonni tamed. 'Wi'm 'di cal un o rheiny ers hydo'dd...'

Fe nodiodd y dyn wrth y drws wrth i Mo roi'r allwedd yn ôl iddo a chadarnhau ei bod am renti'r stafell. Ac wrth i'r ddwy ddod allan i'r heulwen lachar, fe dynnodd Mair anadl ddofn. Fe gynhesodd yr haul y ddwy a'u hadfywio, ond wrth iddyn nhw gerdded tuag at y car daliai Mo i gydio'n dynn ym mraich Mair.

Agorodd Mair y drws. Roedd golwg ddierth arno fe – ei wyneb yn denau a'r graith binc uwchben ei lygad yn gwneud iddo edrych yn wahanol. Doedd e heb siafio chwaith. Roedd tywel yn crogi dros ei ysgwydd.

''Ych chi'n barod, te?'

Edrychodd Mair arno heb ddweud gair.

'Dewch mlân, ma hi'n ddigon twym heddi, glei.'

'Mae'r holl fwyd baratoies i wedi sarnu erbyn hyn…'

'Dewch mlân… 'yn ni wastad yn mynd i'r trath.'

Meddalodd Mair ychydig.

Roedd hi'n ddiwrnod porpoeth, yn annaturiol o gynnes; y gorwel wedi diflannu mewn niwl myglyd a'r gwenyn yn hedfan yn gysglyd o gwmpas y llwyni yn yr ardd.

'Ble ti 'di bod?'

Pwysodd Dafydd ar fframyn y drws. 'O'n i isie amser i feddwl… ond ma popeth yn mynd i fod yn iawn nawr.'

Llygadodd Mair ef am ychydig. 'A' i i hôl cwpwl o bethe.'

Torrodd ei wyneb yn un wên fawr, lydan.

Doedd neb arall wedi mentro cerdded y llwybr serth i lawr at lan y môr yn y gwres a cherddodd y ddau i'w lle arferol hanner ffordd ar hyd y tywod tuag at gefn y traeth, lle'r oedd y gwyrddni. Gosododd Mair ei thywel ar damed o dywod gweddol wastad. Gwisgai fest heb lewys a thynnodd ei sgert i fyny at ei phengliniau. Tynnodd Dafydd ei grys a sylwodd Mair fod yna farciau yma ac acw dros ei freichiau a'i goesau. Roedd yn amlwg bod ei fam yn waelach nag arfer.

Gosododd ei dywel ar y tywod ar ei phwys. Tynnodd ei drowser a'i grys-t, gan ei fod yn gwisgo tryncs nofio, a thynnu'i esgidiau.

'Bydda i 'nôl nawr,' meddai gyda gwên ifanc, cyn neidio'n ysgafn dros y cerrig a rhedeg tuag at y môr.

'Bydd yn ofa…'

Doedd dim gobaith iddo glywed ei geiriau yn sŵn y tonnau, beth bynnag.

Roedd y môr yn tynnu ei anadl yn ara heddiw gan anfon tonnau bach isel i redeg yn hir ar hyd y traeth. Gwyliodd Mair e'n plymio i mewn i'r dŵr glas. Roedd hi'n ofnadwy o boeth a cheiliogod y rhedyn yn rhwbio'i choesau yn y borfa fras. Hedfanai ambell löyn byw didoreth ymysg y blodau glas golau a chwifiai ar hyd cefn y traeth. Allai hi ddim ymlacio'n iawn nes deuai Dafydd yn ôl yn saff. Gwyliodd ei ben golau yng nghanol y tonnau. Allai hi fyth dychmygu nofio. Roedd symudiad diddiwedd y môr yn ddigon i wneud i'w stumog droi, yn ogystal â'r ffaith bod ganddo wyneb newydd bob munud, wrth i'w liw a'i ddyfnder newid o hyd. Byddai'r môr yn ymddangos yn ei hunllefau tywyllaf. Allai Mair byth ymddiried mewn rhywbeth mor dwyllodrus. Gwyliodd Dafydd yn cerdded allan ohono a phwysau ton yn ei dynnu'n ôl am eiliad. Wrth iddo adael y dŵr ceisiai beidio â damsgen ar y cregyn pigog dan draed. Daeth yn ei ôl a thynnu ei dywel yn dynn amdano cyn eistedd â'i gefen tuag ati. Ddwedodd y ddau 'run gair am rai munudau, dim ond gwrando ar y tonnau a theimlo'r awel ar eu gwynebau.

'Shwt ma dy fam?' gofynnodd Mair yn dawel.

'Ma hi'n eitha reit…'

Cariai'r awel ysgafn ei lais yn ôl ati.

'Bydd popeth yn iawn,' ychwanegodd, a rhyw benderfyniad newydd yn ei lais. 'Fi wedi bod yn meddwl... fi'n mynd i werthu'r busnes... gymaint ohono fe ag sy ar ôl... a mynd i dryfeili. Licen i weld tamed ar y byd. Bydd rhaid i Mam sefyll ar 'i thrad 'i hunan wedyn.'

Roedd ei wallt yn dywyll ar ôl bod yn y dŵr. Gwrandawodd y ddau ar y môr. Gadawodd Mair iddo arllwys ei gwd.

'A ma pethe wedi bennu rhyngddo i a Catrin. Dw i wedi ei ffonio hi, ond dyw hi ddim yn ateb. Sdim byd i 'nghadw i 'ma wedyn...'

Oerodd Mair drwyddi. Gwyliodd ddiferyn o ddŵr yn casglu ar fachyn o wallt ar ei war.

'O,' meddai.

Roedd yr haul yn dechrau sychu ei groen. Meddyliodd Mair am Nanw'n tynnu cudyn o wallt iachus ifanc Catrin. Cofiodd am yr olygfa pan welodd ei chefn yn diflannu wrth iddi adael ei thŷ, a'r olwg ar ei gwyneb yn dangos iddi gael ei gorchfygu – hyn mor sydyn ar ôl gwrando ar ei geiriau ifanc heriol ychydig cyn hynny.

'Shwt un o'dd 'ych mam chi?'

Eisteddodd Mair i fyny wrth glywed y cwestiwn annisgwyl. Meddyliodd am eiliad.

'Sa i'n cofio rhyw lawer....'

'Fel fi a Dat...'

'Ie, rhywbeth fel'na. Ond fi'n gwbod 'i bod hi'n bert... O'dd hi'n ofnadw o bert.' Pwysodd Mair yn ôl ar ei breichiau wrth iddi feddwl a meddwl. Roedd yr haul yn codi i'w fan ucha yn yr awyr.

'Gwallt du fel y frân... croen gwyn, gwyn... llygaid gwyrdd a oedd yn gwenu pan fydde hi'n chwerthin. O'dd hi'n garedig iawn hefyd – yn wahanol i Dat. Bydde hi wastad yn gwisgo sgertie a lipstic coch, coch o'dd yn gadel marcyn ar 'y moch i...'

Gwenodd Dafydd wrth feddwl am fam o'r fath.

'...ac o'dd persawr 'da hi, yr un persawr drwy'r amser, a bydde hi'n darllen storïe i fi – fel o'n i'n neud i ti pan ot ti'n un bach...'

'Fi'n cofio....'

'Fe 'nes i 'ngore drostot ti...'

'Fi'n gwbod.'

Pylodd gwên Mair, 'ac o'dd 'y nhad i'n...' ymbalfalodd yn hir am air... 'yn wahanol.'

'Sa i'n cofio Dat...'

'Do'dd 'nhad i ddim byd tebyg i d'un di...' Arhosodd am eiliad er mwyn mesur ei ymateb. 'O'dd d'un di'n fawr fel ti... ond o'dd e'n feddal fel... pluen.'

Roedd diferyn o ddŵr hallt yn chwyddo erbyn hyn ar fachyn o'i wallt melyn.

'Yn gryf, ond yn deg. O'dd pobl yn meddwl ein bod ni'n frawd a chwar, ti'n gweld – yn union yr un peth, yr un ffordd o edrych ar bethe, yr un ffordd o symud...'

Roedd y cyhyrau yng nghefn Dafydd yn tynhau o gwmpas ei ysgwyddau. Arafodd Mair.

'O'dd e'n gwmws fel brawd i fi...'

Meddyliodd Mair am eiliad cyn twrio yn y bag ar ei bwys. Fe dynnodd y bocs bach hirsgwar – ei anrheg pen-blwydd – oddi yno ac edrych arno am eiliad. Cododd ef a'i roi i orffwys ar ysgwydd Dafydd. Cydiodd hwnnw ynddo heb edrych yn ôl na dweud gair. Plygodd ei ben a'i agor. Cyflymodd calon Mair wrth iddo osod y bocs naill ochr. Clywodd Mair y tsiaen yn tincial yn ei ddwylo ac ymestynnodd hi'n ôl dros ei ysgwydd tuag ati. Cydiodd hithau ynddi a symud ei phwysau er mwyn closio tuag ato. Agorodd hi'n un rhibyn hir a'r golau'n dawnsio'n wenau ar ei hyd. Bachodd hi am ei wddf gan deimlo'i groen yn feddal o gwmpas ei war. Roedd hi'n berffaith. Cododd Dafydd ei law a'i chyffwrdd â'i fysedd.

'Diolch,' meddai'n dawel.

Cwympodd y diferyn o ddŵr oddi ar y bachyn o wallt a glanio ar groen ei wddf. Cyrliodd y bachyn yn ôl yn dynn ar ôl cael gwared ar y pwysau. Cychwynnodd ar ei siwrne i lawr cefn y crwt. Llithrodd i lawr asgwrn ei gefn gan wyro heibio cyhyrau ei ysgwyddau cryfion a chynhesodd wrth deithio ar hyd y cnawd o dan yr haul chwilboeth. Symudodd Dafydd ei bwysau. Sugnodd y trai y tonnau tuag ati unwaith eto. Stopiodd y diferyn am eiliad cyn cychwyn eto ar ei daith i lawr gan loywi'r croen oddi tano. Syllodd Mair ar siâp y diferyn bach a'i meddwl ymhell i ffwrdd. Diferodd y dŵr rhwng pob asen gan deithio dros y croen yn ara bach cyn gwyro'n ôl i ganol ei gefn.

Gwyliai Mair bob symudiad gan anwesu'r dafn bach hallt â'i llygaid wrth iddo symud. Roedd hi'n dechrau teimlo'n anghyfforddus yn yr haul aeddfed. Byddai'r haul ar ddydd ei ben-blwydd yn ifancach, rhywsut – doedd hi ddim wedi arfer â'r haul henach 'ma. Roedd ei groen yn cochi ac yn sychu yn y gwres a dafnau o halen hallt yn crisialu'n llwch gwyn ar hyd ei gefn. Teimlai Dafydd ei llygaid ar ei gefn. Pwyllodd y perl bach gloyw wrth gyrraedd ei ganol cyn llithro'n sydyn i waelod ei gefn. Sgrechiodd y gwylanod.

'Ma hi'n rhy boeth fan hyn…'

Cododd Dafydd a rhedeg, heb edrych yn ôl, tuag at y tonnau. Syllodd Mair ar ei ôl gan feddwl am y diferyn bach clir. Cododd y tywod dan ei sodlau. Wrth iddi ei wylio'n diflannu, fe hedfanodd dau löyn byw heibio mewn dawns. Roedd fel petai rhyw linyn annelwig rhwng eu hadenydd – bob tro y symudai un damed i ffwrdd fe fyddai'r llall yn cael plwc ar ei ôl.

PENNOD 22

DOEDD NANW DDIM WEDI cysgu ers sawl nosweth bellach. Roedd ei chroen yn sych a rhyw olwg wyllt yn ei llygaid. Penderfynodd Mair aros gatre o'r farced i edrych ar ei hôl – serch hynny wnâi hi ddim byd ond gorwedd yn ei chaets gan estyn un llaw allan rhwng y bariau. Roedd Mair yn siŵr bod gwres arni a doedd y tywydd annaturiol o glòs yn helpu dim. Agorodd Mair y ffenestri a buodd yn ei baddo hi mewn clytiau a'r rheiny wedi'u socio mewn dŵr oer, ond roedd y mwnci'n dal yn ddifywyd a'i llygaid yn llonydd. Doedd dim argoel o'r drygioni hwnnw a ddisgleiriai fel arfer yn ei llygaid. Allai Mair wneud dim byd ond aros nes bod y gwres yn cilio. Tynnodd y clytiau cynnes oddi ar y corff bach a'u hoeri yn y dŵr cyn eu gwasgu'n sych a'i bysedd yn cochi. Crynai Nanw dipyn wrth i Mair ailosod y clytiau ar ei chefn unwaith yn rhagor. Byddai hi'n siŵr o wella ar ôl iddi gael hoe, meddyliodd Mair. Allai'r dwymyn ddim para'n hir iawn mewn corff mor fach.

Roedd drysau'r bwthyn bach ar agor a symudai'r ffrogiau a'r dillad oedd ar ôl yn y coridor yn yr awel fain. I ladd amser byddai Mair yn meddwl am Dafydd. Daethai gatre ar ôl y diwrnod hwnnw ar y traeth a mynd i eistedd yn y stafell orau, gan mai honno oedd yr oera. Ar ôl sbel fe ildiodd i'r demtasiwn, ac agorodd y bocs er mwyn edrych ar yr emrallt unwaith eto. Roedd hi'n rhyfeddol o brydferth yn barod. Roedd ambell wyneb yn llyfn ar ei hochor a phob lliw yn disgleirio yn nyfnder ei chalon. Manteisiodd Mair ar y ffaith fod ganddi ychydig oriau i weithio tra bod Nanw'n gorffwys.

Tynnodd yr emrallt o'r rhacsyn. Byddai ei chalon yn ei gwddf wrth i'r emrallt gyffwrdd yn yr olwyn lyfnu. Astudiodd yr holl onglau cyn ailddechrau torri. Roedd hi'n siapio'n dda ac wrth iddi weithio fe deimlai Mair y cynnwrf yn dihuno yn ei pherfedd. Ei thorri i doriad emrallt oedd ei bwriad hi. Byddai rhai yn eu torri nhw'n ddisglair, ond yn ei thyb hi, roedd yr hen doriad clasurol a'r gwyneb llyfn hir yn dangos lliw'r garreg yn well nag unrhyw doriad ffansi. Roedd yr ôl bys ar hyn o bryd yn gorwedd yng nghanol y garreg ac yn ymddangos weithiau wrth i'r golau ei fwrw ar ryw ongl arbennig. Y dasg nawr oedd siapio gwaelod y garreg er mwyn tynnu'r golau trwyddi ac i fyny trwy'r 'ôl bys'. Chwysai Mair nes bod ei thalcen yn wlyb.

Torrodd a pholisio wrth ddal ati o gam i gam gan rwbio pob gwyneb i'r garreg yn llyfn ac yn berffaith. Y peth pwysig oedd sicrhau bod y golau'n medru treiddio trwyddi'n ddi-dor ac yn lân. Gweithiodd o gwmpas y garreg yn ara bach gan sicrhau na wnâi gamgymeriad. Hon oedd y garreg bwysica iddi erioed ei thorri, heb sôn am y ddruta. Fe'i prynodd gan y gemydd yn weddol o rad a hynny, mae'n siŵr, am ei fod e'n credu y byddai bron yn amhosib iddi hi ei thorri'n iawn a chreu carreg werthfawr ohoni. Roedd y garreg yn gynnes dan ei bysedd a phob ongl ohoni'n dod yn gyfarwydd iddi. Edrychodd Mair i mewn i ddyfnder ei gwaelodion. Bellach, roedd yr ôl bys yn ei pherfedd hefyd wedi dod mor gyfarwydd iddi nes y gallai hi ei nabod ymhlith cannoedd o rai eraill. Roedd y toriadau ola'n hunllefus o anodd, ond wrth weld y garreg yn dechrau dod i siâp fe deimlai Mair ryw heddwch dwfn. Sylwodd ar gysgod y gath yn sleifio i'r stafell wely i fwrw golwg ar Nanw.

Amser cinio, fe gododd ac ymestyn ei chefn. Sefodd a cherdded i'r gegin i wneud tamed o ginio. Torrodd fara menyn a thoddi tamed o gaws a bwytodd yn oerfel y gegin yng nghefn y tŷ. Dechreusai'r ardd gochi a'r borfa'n cael ei losgi gan wres dychrynllyd yr haul. Roedd ambell i aderyn ar frigau'r coed a'u cegau ar agor. Gorffennodd ei the a mynd yn ôl at y gwaith o dorri'r garreg.

Eisteddodd a chodi'r garreg i olau naturiol yr haul am eiliad. Taflai'r garreg gysgod gwyrdd ar hyd ei gwyneb a gwenodd Mair arni yn ei disgleirdeb. Clywodd sŵn wrth y drws a throdd i edrych. Roedd Nanw wedi dianc o'i chaets ac yn sefyll yn y drws yn llygadu Mair a'r emrallt yn ei chôl. Adlewyrchai gwyrddni'r emrallt yn ei llygaid. Llithrodd y garreg rhwng ei bysedd i'w chôl. Sgrechiodd Mair cyn cuddio'i cheg â'i dwylo. Suddodd dannedd Nanw yn ddwfn i mewn i wddf y gath, ei chorff bellach yn hongian yn llipa yn ei cheg a'r gwaed yn dripian ar y leino. Edrychodd Nanw i fyny ar Mair yn eistedd yno'n ddiymadferth. Anadlai'n ffyrnig a'i llygaid yn dawnsio mewn gwên.

CLADDODD MAIR Y GATH yng ngwaelod yr ardd. Roedd y
ddaear yn galed ac yn sych a'r pridd yn goch ac yn llychlyd.
Fe brynodd glo newydd i'r caets a phenderfynu peidio â gadael
Nanw yn rhydd o gwbwl. Roedd ei gwres yn dal yn uchel a
gobeithiai Mair mai ei salwch oedd wedi achosi'i gwallgofrwydd.
Er hynny, allai hi ddim meddwl bellach am ei maldodi, fel yr
arferai wneud, a byddai'n cael hunllefau amdani a rheiny'n ei
dihuno.

Yn nyfnderoedd ei chwsg dychmygai weld Nanw'n cripian
i mewn i'r bocs teganau ac yn ymbalfalu am yr emrallt. Er y
gallai Mair weld beth oedd hi'n ei wneud, eto allai hi mo'i
rhwystro – byddai'n rhaid iddi wylio'r mwnci'n llyncu'r garreg.
Bryd arall, fe freuddwydiai hi fod y mwnci'n cripian ar hyd y
tŷ ac yn cydio yn yr emrallt cyn ei thaflu i'r tân gan sgrechian
chwerthin. Byddai Mair yn dihuno'n chwys drosti tra cysgai
Nanw'n drwm, wrth gwrs, a hithau wedyn yn gorfod gorwedd
am oriau yn teimlo'n anghyfforddus wrth wrando ar sŵn y môr
trwy'r ffenestri agored.

Roedd wedi bod gatre o'r farced ers amser bellach ac yn
dechrau sylweddoli sut beth fyddai bywyd wedi i'r lle gau. Allai
hi ddim mynd i unman nes byddai Nanw'n gwella ac roedd
hithau felly mor gaeth i'r bwthyn ag roedd y mwnci i'r caets.
I ladd amser, roedd hi wedi dechrau darllen llythyrau ola'r dyn
tawel ac fe fyddai hi'n dilyn y llinellau bach ansicr yn ofalus
gyda'i llygaid. Roedd darllen ei feddyliau fel gwneud jig-so heb
gael gweld y llun, ond eto roedd hi'n siŵr erbyn hyn y medrai

greu llun cyflawn ohono wedi iddi hi ddarllen pob bripsyn o'i sgrifen grynedig.

Gorweddai Mair yn hel meddyliau fel hyn pan glywodd swn traed cyfarwydd yn cerdded tuag at y bwthyn. Agorodd ei llygaid a gwenu cyn mynd at y drws.

'Pam na wedoch chi bod Catrin wedi bod 'ma?'

Roedd ei wyneb dan deimlad a chwys ar ei dalcen wedi iddo gerdded o'r pentre.

Sythodd gwên Mair. Troiodd ei chefn arno a mynd i eistedd ar y gwely.

'Be ti'n feddwl?'

'Buodd hi 'ma.'

Cerddai Dafydd 'nôl a blaen ar hyd y llawr, ond chododd Nanw mo'i phen hyd yn oed mewn cyfarchiad. Roedd ei lygaid yn wyllt a'i feddwl, fel ei lygaid, yn gwibio o le i le.

'Do'n i ddim yn meddwl ei fod e'n bwysig...' Cochodd ei bochau wrth iddi ystyried ei geiriau.

'Ddim yn meddwl ei fod e'n bwysig?' Closiodd Dafydd ati.

'Ond wedest ti bo ti ddim yn poeni dim amdani...'

'A chi'n galler darllen 'y meddwl i, odych chi?'

Sythodd cefn Mair. 'Wedest ti bo ti wedi meddwl am y peth ac wedi penderfynu... o'n i ddim isie dy drwblu di wedyn gan dy fod ti mor bendant. 'Yf fi'n dy nabod di'n ddigon da, Dafydd.'

'O's rhaid ichi fusnesu yn 'y mywyd i o hyd?'

'Neud 'y ngore i ti o'n i... i ti gal cyfle i fynd i neud pethe. Ches i erioed gyfle.'

'Beth? Neud 'ych gore drosta i?' Roedd dwylo Dafydd yn crynu a'i lais yn codi. 'Tase chi isie gneud 'ych gore drosta i, fyddech chi 'di gadel 'nhad i fod! Wedodd Mam wrtha i na allen i mo'ch trysto chi!'

Edrychodd Mair arno mewn syndod. Troiodd ei chefn a'r geiriau'n canu yn ei phen. Tawelodd Dafydd. Aeth ton o wres trwy gorff Mair. Sefodd Dafydd yn stond.

'Mair… plîs… do'n i ddim yn meddwl…'

Eisteddodd Dafydd wrth y caets. Gorweddai Nanw'n glaf gerllaw.

'Ma Catrin wedi mynd…' meddai, yn feddalach y tro hwn. 'Ma'i lle hi'n wag; sdim rhif na dim byd…'

Rhoddodd ei law ar ei dalcen a dechrau wylo'n dawel. Gwrandawodd Mair ar ei ddagrau heb ei gysuro.

'Creda di beth fynnot ti… ond isie'r gore ro'n i i ti, Dafydd…' meddai Mair yn dawel o'r diwedd. Troiodd i'w wynebu. Sylwodd fod ei freichiau'n deneuach nag arfer. 'A 'na i gyd ro'n i isie i dy dad 'fyd…'

Chwerthodd Dafydd a siglo'i ben. Roedd yr aer yn mogi'r stafell.

'Bydde'n well i ti adel nawr,' meddai Mair o'r diwedd a'i llais dan reolaeth.

Edrychodd Dafydd arni mewn syndod. Cododd ar ei draed. Berwai rhyw dymer yn ddwfn yn ei lygaid. Closiodd ati a phoeri'r geiriau i'w gwyneb. 'Beth 'ych *chi* isie sy'n bwysig o hyd, on'd ife?'

Edrychodd Mair yn ôl arno a chwrddodd eu llygaid.

'I'r diawl â phob un arall wedyn… hen wrach ma Mam yn 'ych galw chi, a 'na beth 'ych chi!' Roedd ei lais yn uchel a Nanw wedi codi'i phen o'r diwedd ac wedi dechre llefen.

Rheolodd Mair ei thymer.

''Na i ddim madde i chi am hyn nac am beth neloch chi i Dat…'

Troiodd Dafydd am y drws a'i wyneb yn llawn caledwch. Neidiodd Mair wrth i'r drws gau'n glep. Gwasgodd ei dagrau'n ôl wrth eistedd ar y gwely gan gloi ei dwylo am ei gilydd. Roedd llythyron ola'r dyn tawel yn gymysg ymhlith eu hamlenni ar y gwely. Cododd yr un olaf a'i ddarllen er mwyn cael rhywbeth i feddwl amdano. Gwasgai'r gwres llethol i lawr arni gan wneud iddi deimlo'n wag. Ceisiodd ganolbwyntio ar y geiriau bach wedi'u gwasgaru fan hyn a fan draw ar y papur. Roedd y llinellau wedi eu torri a doedd dim trefn ar y geiriau mewn mannau. Roedd hi wedi dychmygu y byddai llun eglur o enaid yn y llythyron hirfaith. Rhyw synnwyr. Darlun llawn o berson a rhyw ddafn o wirionedd y gallai hi lynu wrtho. Ond doedd dim byd o werth iddi hi. Dim ond casgliad o'r holl bethau roedd e wedi meddwl amdanyn nhw yn ystod ei fywyd. Dyn yn sgrifennu popeth ar bapur fel bod rhywbeth, o leia, ar ei ôl. Gwasgodd yr ola'n bêl yn ei dwrn a'i daflu ar y llawr, heb ddarganfod dim a fyddai o bwys iddi.

Doedd Nanw ddim yn ymwybodol o'r dagrau a dywalltodd Mair ar ei gwely'r noson honno.

UN O'R GLOCH Y bore a Mair yn dihuno, ei thalcen yn sopen gan chwys a'r gwres yn llethol. Roedd hi wedi bod yn breuddwydio am y dyn bach tawel ac am y ferch ar y beic yn y llun gan ddychmygu pa fath o fywyd roedden nhw wedi'i gael. Edrychodd o'i blaen. Roedd goleuadau llachar yn dawnsio'n glymau lliwgar o flaen ei llygaid. Cododd ei phen ac edrych ar ei dwylo. Doedd hi ddim yn galler eu gweld. Cododd a syllu am yn hir i'r tywyllwch. Byddai hi'n ddall am gyfnod nes iddi golli'r teimlad yn ei bysedd a'i cheg ac yna, cyn pen dim, fe fyddai'r pen tost yn dechrau. Pen tost a wasgai ar bob rhan o'i phen nes gwneud iddi wingo mewn poen. Doedd dim byd i'w wneud ond disgwyl amdano. Siglodd yn anwadal o ochr i ochr ar y gwely.

Wrth wylio'r goleuadau'n fflachio fel storom o'i mewn, fe feddyliodd am Dafydd. Er mai dim ond ychydig oriau'n ôl y gwelodd ef ddiwethaf, fe allai fod ganrifoedd i ffwrdd. Roedd ei eiriau, y rhai roedd hi wedi'u hofni ers blynyddoedd, wedi suddo'n oer i mewn i'w chnawd ac wedi sefyll yno am amser hir yn crynu. Roedd hi wedi bod yn disgwyl am ei gyhuddiadau ers cymaint o amser ac roedd eu clywed nhw, o'r diwedd, wedi dod fel rhyw fath o ryddhad. Dechreuodd y goleuadau symud o gwmpas a'i stumog yn troi fel petai hi'n cael ei chario ar grib rhyw don. Clywodd Nanw'n sibrwd wrthi'i hun.

Symudodd ei phwysau a gollwng ei hun i lawr i orwedd unwaith eto. Dawnsiai'r sêr uwch ei phen erbyn hyn. Ei babi hi oedd Dafydd, mewn sawl ffordd, ac fe fuodd hi bron â'i golli unwaith. Roedd ei golli eto bron yn ormod iddi fedru ei ddioddef. Llwyddodd ei fam i wenwyno ei feddwl tuag ati unwaith. Rhoi amser iddo feddwl. Dyna fydde orau. Yn y bôn, roedd e'n gwmws yr un peth â'i dad. Fe welai synnwyr yn y pen draw.

Roedd yna binnau bach wedi dechrau dawnsio yn ei bysedd. Ymhen amser, fe symudodd y pigiadau i fyny'i braich ac i'w gwyneb a'i cheg, gan ledu a berwi wrth grwydro. Roedd ei thafod yn dew a hithau'n ffaelu'n deg â llyncu. Troiodd ar ei hochr fel bod ei phoer yn galler rhedeg o'i cheg. Gorweddodd yn llonydd heb fedru teimlo dim byd o gwbwl. Ymlaciodd. Roedd ei chorff wedi'i rewi a bellach heb deimlad o gwbwl ynddo. Gwenodd yn grwca a mwynhau'r teimlad am ychydig. Caeodd ei llygaid a gwylio'r tân gwyllt – gan wybod y byddai'n rhaid iddi dalu'n ddrud cyn bo hir am y pleser o ffaelu â theimlo.

Yn ara bach diflannodd y siapiau ac yna, yng nghefn ei meddwl, fe ddihunodd y boen. Dechrau'n ara y byddai. Yr un peth bob tro. Roedd yna hadyn bach du yn ei chof yn rhywle ac weithiau, o dan yr amgylchiadau cywir, fe fyddai'n tyfu ac yn tyfu nes iddo lyncu ei henaid a'i chorff yn gyfan gwbl. Byddai'n dechrau ar ei thalcen a thu ôl i'w llygaid ac yn crwydro fel tân ar hyd ei phen. Teimlai'r poen yn cryfhau ac yn dechrau treiddio'n ôl i'w dwylo. Byddai ei chorff bob tro'n adfer ei allu i deimlo mewn da bryd fel y byddai'n dioddef y boen ar ei waethaf.

Fe ddechreuodd y pennau tost wrth iddi droi'n fenyw, pan waedodd hi am y tro cyntaf. Fe fuodd hi am fisoedd yn golchi clytiau yn y stafell molchi, yn ffaelu'n deg â dweud wrth ei thad. Byddai'r merched eraill yn cael mynd i'r dref gyda'u mamau a rheiny'n esbonio cyfan iddyn nhw a phrynu'r pethau roedd arnyn nhw eu hangen. Daeth Miss Jones i siarad â hi yn y diwedd a'i siarsio i guddio hyn oddi wrth ei thad, bryd hynny, gan nad oedd e'n teimlo'n dda a bod digon o bethau eraill ar ei feddwl e. Nawr, teimlodd ei gwyneb â'i bysedd am amser hir. Fel menyw ddall, gallai hi weld ei gwyneb ei hun – siâp ei thrwyn a meddalwch ei chroen wedi dechrau llacio bellach o gwmpas ei cheg, a'r penglog caled yn solet oddi mewn.

Sleifiodd y boen i mewn iddi fel nadredd yn y tywyllwch, gan wasgu ar ei hymennydd a gwneud i'w phen deimlo fel petai'n rhy fach i gynnwys ei holl feddyliau. Roedd y tywydd yn cynhesu y tu allan hefyd a'r awel yn fyglyd gan fflachio trydan nawr ac yn y man ar y gorwel. Doedd dim pilsen allai gyffwrdd â'r boen ac estynnodd Mair am gordyn y byddai hi'n ei gadw ar bwys y gwely a'i glymu'n dynn am ei phen. Roedd ei gwyneb yn styrnigo dan boen. Ceisiodd eistedd i fyny a chydio yn nefnydd ei gŵn-nos o gwmpas ei chanol a'i thynnu dros ei phen. Gorweddai pwysau'r byd yn ei phen ac roedd rhyw gyllell dywyll yn gwthio'i fin rhwng esgyrn ei phenglog. Goleuodd yr awyr unwaith eto gan anfon fflachiadau o olau llwyd ar hyd ei chorff noeth ar y gwely bach.

Pan oedd hi'n ifanc byddai hi'n dioddef pwl bob wythnos. Yn aml, fe gollai hi'r ysgol a byddai rhywun yn gorffod edrych ar ei hôl. Bryd hynny, fe gâi hi rhyw freuddwydion rhyfedd ynghanol y pyliau, ond fe ddysgodd hi'n gyflym i beidio â sôn amdanyn nhw.

Yn ddiweddar, fe fyddai hi'n dechrau arogli pethau'n gryfach am gyfnod, gweld lliwiau'n siarpach. Roedd hynny'n arwydd pendant bod yna bwl arall ar ei ffordd. Byddai bwyd yn blasu'n gryfach a'i gwddf yn dost wrth iddi blygu dros ei gemau bob dydd. Ond er na fyddai hi'n dioddef y pyliau mor aml erbyn hyn, fe fydden nhw'n llawer ffyrnicach a byddai corff Mair fel petai'n gwanhau ar ôl pob ymosodiad. Troiodd ar ei hochr unwaith eto gan geisio sicrhau seibiant oddi wrth y boen, ond fe ddilynodd hwnnw ei symudiadau'n llawer rhy ffyddlon. Troiodd hi 'nôl ar ei chefn. Cododd am eiliad ac ymestyn ei thraed i'r llawr cyn penderfynu y byddai'n well iddi aros ar wastad ei chefn rhag ofn iddi gwympo. Dechreuodd dagrau poeth wasgu drwy gorneli ei llygaid. Gwasgodd ei dannedd at ei gilydd a thynnu'r cordyn yn dynnach am ei phen fel bod ganddi rywbeth i ganolbwyntio arno. Cochodd ei bochau yn y tywyllwch a gwasgai'r boen ar bob nerf gan anfon saethau o drydan ar hyd ei gwddf. Cydiodd yn ei phen a'i wasgu'n galetach.

Byddai Mo'n gyfarwydd â'r pyliau hyn. Pan âi hi'n ddall, fe fyddai Mo'n ei harwain hi'n ôl at y car ac yn mynd â hi adref heb ddweud gair. Byddai'n ei rhoi yn y gwely a chau'r drws wrth adael. Allai Mair ddim dioddef neb ar ei chyfyl pan gâi un o'r pyliau. Troiodd i wynebu'r ochr unwaith eto. Roedd ei holl gorff yn crynu a gwyn ei llygaid yn llachar yng ngolau'r lleuad. Edrychodd ar y môr am eiliad – hwnnw'n ddu ac yn fygythiol, a rhyw gymylau anferth yn casglu o gwmpas y lleuad. Gorweddodd am oriau a'r gwreiddiau tywyll yn chwyddo yn ei phen gan ymwthio i bob rhan o'i meddyliau.

Ar ôl rhai oriau, fe ddechreuodd y llaw ddu ollwng ei gafael. Ar ôl brwydo yn erbyn ei holl gryfder, fe'i gadawyd yn llipa ac yn flinedig ac roedd arni ofn edrych i mewn i'r golau. Tynnodd fys o dan y cordyn tyn a'i lacio. Roedd ôl y boen yn y cysgodion tywyll o dan ei llygaid a hithau wedi ildio rhag ymladd. Doedd ganddi ddim nerth ar ôl. Roedd ei breichiau a'i chalon yn wan, a hithau'n cael trafferth anadlu. Yn ara bach, yn y tywyllwch, fe feddyliodd nad oedd pwrpas ymladd na styrnigo. Dysgodd y pennau tost diweddara iddi nad oedd pwrpas mewn ceisio ymladd rhywbeth diwyneb. Sylweddolai bellach mai gadael i bopeth gymryd ei gwrs oedd orau. Daeth deigryn arall, llai cynnes y tro hwn, i ymlwybro i lawr ei boch. Meddyliodd na fyddai arni ofn y cyfnodau tywyll a ddeuai gyda'r nos rhagor. Roedd hi wedi sylweddoli mai dioddef fyddai'n rhaid a disgwyl i'r boen ei gadael. Fe âi'r peth heibio yn y diwedd, ac os gallai hi ddal i gredu hynny fe allai hi gysgu'n dawel. Meddyliodd am Dafydd wrth godi'i dwylo o flaen ei llygaid unwaith eto. Syllodd ar siâp ei bysedd â'i llygaid blinedig cyn i gwsg wneud pob dim yn angof.

Fe agorodd Nanw ei llygaid wrth i Mair gau ei rhai hi. Cysgai Mair a'i chorff yn agored, ei gwddf yn amlwg yn y golau gwan. Edrychodd Nanw ar y croen gwyn, llachar trwy'r tywyllwch. Symudodd hithau ei chefn yn agosach at y gwely cul ac estyn ei braich allan trwy'r bariau. Edrychodd y mwnci ar ei llygaid caeedig am yn hir gan geisio gwthio'i bysedd yn agosach at wddwg diamddiffyn Mair.

PWYSODD MAIR AR GOES y brwsh llawr ac edrych i lawr am y bae. Roedd ei chroen yn llwydaidd yng ngolau llachar yr haul a'i llygaid yn dal i wingo pan sgleiniai yn ei lawnder ar ei gwyneb. Roedd hi'n eiddil ac yn ysgafn a doedd hi ddim yn bwriadu mynd yn ôl i'r farced nes y byddai hi'n well. Galwai Mo'n rheolaidd i nôl mwy o ddillad a bagiau i'w gwerthu ar ei stondin nes y byddai Mair yn gwella. Treuliai'r diwrnodau yng nghysgod y bwthyn bach yn twtio o gwmpas y tŷ ac yn aros yn y cysgodion. Sylweddolodd fod angen cot o wyngalch newydd smart ar y bwthyn cyn y gwanwyn nesaf. Roedd yr halen wedi bod yn naddu'i wynder a'r gwynt yn pilo'i dalcen.

Ar ôl cinio, fe wthiodd un o'i blowsys ysgafn i'w sgert gan sylwi bod yna ddigon o le rhwng ei bol a rhimyn y bandyn. Byddai'n rhaid iddi olchi ychydig ddillad hefyd. Doedd ganddi ddim llawer o ddillad haf. Fyddai'r hafau byth mor hir â hyn fel arfer, a byddai'r ychydig o ddillad a oedd ganddi'n gwneud y tro. Clymodd sgarff am ei phen er mwyn amddiffyn ei llygaid rhag y golau. Cerddodd allan i'r haul a'i hysgwyddau'n suddo ychydig. Tynnodd anadl hir.

Roedd yna gychod yn siglo'n lliwgar yn y bae islaw a theuluoedd ar wyliau ola'r haf yn rhedeg ar hyd y traethau. Troiodd a cherdded, heb wybod yn union ble i fynd. Dilynodd yr hewl droellog uwchlaw'r môr ac anelu am y pentref. Roedd hwnnw'n gorwedd yn isel, bellter o'r môr, a'r gwres yn rhowlio ar hyd yr arfordir o'i flaen. Roedd hi'n cynhesu a'i chorff yn wan. Ar hyd y cloddiau, roedd clychau'r plant yn siglo yn yr awel a'u capiau wedi'u tynnu dros eu gwynebau'n swil a hen wragedd pigog a'u glas mwy cwrs yn bobio yn y borfa hir. Gwenodd wrth eu gweld. Pan oedd hi'n groten, byddai hi wrth ei bodd yn eu canol yn eu casglu ac yn tynnu eu lluniau. Roedd ganddi lond bocs o luniau yn y tŷ yn rhywle. Stopiodd a chydio dan ên un o'r clychau bach glas golau diniwed. Roedd ei betalau'n ddychrynllyd o denau a'r awel ysgafna'n gwasgu ar ei gloch. Er ei bod yn edrych yn hyfryd, byddai'r ffaith bod blodau gwyllt yn gwywo mor gyflym yn ei dychryn ac roedd hi wedi rhoi'r gorau i'w casglu yn weddol glou ar ôl sylweddoli hynny.

Roedd y pentref yn brysur a phobol ddierth yn boddi'r trigolion lleol, felly doedd hi'n adnabod neb ar y stryd. Cerddodd, heb edrych naill ai i'r chwith nac i'r dde. Roedd hi'n hoffi'r sgarff am ei phen a theimlai rhyw ryddid rhyfedd wrth gerdded trwy'r dorf. Aeth ar yr hen lwybr, ac er nad oedd hi wedi meddwl gwneud fe'i dilynodd ar ochr bella'r pentre ar y llwybr cul ar hyd yr arfordir. Roedd llwyni isel yn ceisio mygu'r llwybr a dim ond ychydig ddefaid fedrai wthio heibio iddyn nhw, gan adael cymylau o wlân ar bigau'r drain. Roedd hi'n grasboeth.

Cerddodd nes cyrraedd y giât fach ar waelod y fynwent. Sefodd am eiliad, gan roi ei llaw arni cyn mentro i mewn. Roedd pob man yn dawel. Camodd ar y borfa a gweld madfall dywyll yn diflannu o ben carreg fedd ar ôl iddi fod yn bolaheulo. Plygodd Mair ar bwys y tap a gwneud siâp cwpan gyda'i dwylo i yfed. Roedd y dŵr yn oer ac yn bur. Sychodd ei cheg a thaflu peth o'r dŵr ar ei gwyneb. Sychai bron wrth gyffwrdd â'i chroen.

Edrychodd o bell ar garreg fedd tad Dafydd. Syllodd am yn hir ar y ddraenen a roddai rhyw gysgod pigog dros ei enw. Roedd y blodau a adawodd yno'r tro diwethaf wedi hen sychu ond wnaeth hi mo'u taflu. Doedd ganddi mo'r galon i fynd i siarad ag e heddiw. Fe droiodd a cherdded i fyny'r llwybr at yr eglwys. Roedd tri dyn yn gweithio ar waelod y fynwent yn torri bedd. Cododd un ohonyn nhw law arni. Roedd y llwch coch yn codi'n gwmwl o'i hamgylch gan lynu'n rhydlyd wrth ei chwys. Dilynodd Mair y llwybr at yr eglwys. Pwysodd ei llaw ar y drws am eiliad cyn cerdded i'r cysgodion y tu ôl iddi.

Doedd hi heb fod yn y rhan hon o'r fynwent ers yr angladd. Cafodd ei thad ei gladdu gyda'r offeiriadon eraill. Yn y man gorau, ar bwys yr eglwys, lle'r oedd hi'n dywyll a'r dail gwyrdd yn ddwylo ymhob man. Gorweddai'n agos at y fynedfa i'r eglwys, a'r wal isel o gwmpas y sgwaryn yn eu gwahanu oddi wrth weddill y cyrff. Gwenodd Mair wrth iddi sylweddoli mai cymysgu y bydden nhw i gyd o dan y ddaear. Roedd y borfa'n hirach yn y fan hyn nag yn y fynwent ei hun. Gan fod nifer fawr o'r praidd yn ddiolchgar am weithredoedd da ei thad mi brynon nhw gofeb fawr sgleiniog i'w roi ar ei fedd. Erbyn hyn roedd iorwg wedi dechrau dringo ar ei hyd.

Yn ei ewyllys gadawodd ei gyfoeth i'r ysgol ac i'r eglwys, a phawb yn ei ganmol. Yn ystod ei oes, buodd yn aelod o bob pwyllgor, ac yn bresennol mewn pob math o gyfarfodydd. Ymwelodd â phob claf a gweddïodd dros y gweiniaid. Gwelsai Mair ef yn ei stydi fawr, gyda'i waliau pren, yn gweithio'n gydwybodol i ennill arian a grantiau ar gyfer yr eglwys. Priododd a bedyddio ddysenni o bobl. Byddai'r gymuned yn troi o'i gwmpas. Bu ei bywyd hithau yn troi o'i gwmpas ond roedd ganddo fe braidd eraill eisoes. Roedd hi'n ddibynnol arno fe, fel y byddai dysenni o bobl eraill, ac yntau ar adegau'n gweld y cyfrifoldebau'n drwm. Fe oedd ei bywyd hi. O'i gwmpas e roedd ei byd yn troi. Ceisiodd ei orau i gyfeirio sylw'r ferch fach at rywbeth uwchlaw efe. Ond byddai e wedi bod yn ddigon iddi hi. Buodd e'n garedig wrth gymaint o bobl, yn ddiamynedd wrth rai eraill a hyd yn oed yn greulon wrth un neu ddau. Dim ond dyn oedd e wedi'r cwbwl.

Am y tro cyntaf erioed, camodd Mair dros y wal isel a sefyll o flaen ei fedd. Sefodd yno'n edrych ar y gofeb am amser hir a syllu. Ddaeth dim dagrau. Dim byd. Byddai'r gwynt twym wedi eu sychu petai rhai wedi dod. Roedd pob dim yn sych, y borfa'n sisial a'r ddaear yn rhuddo. Yna, ar ôl hir syllu, fe wenodd a throi ei chefn. Teimlai'n ysgafnach ar ôl dringo'r wal fach a chamu allan i'r golau. Troiodd am y llwybr unwaith eto. Nawr, a hithau wedi gweld y bedd, fe benderfynodd na fyddai hi byth eto'n dychwelyd yn ôl yno. Roedd y cyfan ar ben.

Cerddodd tuag at y giât fach yng ngwaelod y fynwent. Roedd ei phen yn teimlo'n well a'i llygaid, o'r diwedd, wedi dechrau dod yn gyfarwydd â'r golau. Tynnodd ei sgarff a'i chario yn ei llaw gan ei chwifio yn yr awel. Edrychodd o'i chwmpas ac fe glywai sŵn chwerthin y plant a chwaraeai ar y traeth islaw. Gwenodd. Roedd ganddi bethau i'w gwneud. Roedd yn rhaid iddi orffen torri'r emrallt. Byddai'n rhaid iddi benderfynu sut yr enillai ei bywoliaeth ac roedd yn rhaid iddi fynd i weld Eirwyn. Agorodd y giât, a heb edrych yn ôl fe'i tynnodd ar gau y tu ôl iddi.

PENNOD 26

CHWECH O'R GLOCH Y bore ac roedd Mair wedi bod yn gweithio ar y garreg drwy'r nos. Cyn i'r wawr dorri, yn yr oriau tywyllaf, fe'i gorffennodd. A'i chalon yn curo'n boenus fe'i tynnodd oddi ar y ffon fetel a'i golchi dan olau'r ddesg. Rhoddodd hi ar gledr ei llaw a thynnu'r golau llachar yn nes. Roedd hi'n dawnsio'n fyw a'r golau'n plymio ac yn corddi ynddi cyn ffrwydro allan yn dân gwyrdd. Roedd yr hen amheuaeth amdani wedi diflannu a'r garreg wedi ennill ei ffydd. Carreg y gwirionedd oedd yr emrallt ac fe sychodd Mair ei llygaid wrth edrych arni. Troiodd hi yn y golau gan wylio'r ôl bys yn disgleirio'n aur.

Wrth i'r wawr arllwys ei golau glân ar hyd yr wybren, aeth Mair i'r stafell wely a dihuno Nanw. Roedd honno'n dal i ddiharpo bob dydd a hithau wedi bod yn gofalu'n dyner amdani. Buodd rhaid iddi adael y tŷ unwaith neu ddwy er mwyn hôl bwyd ac ati, ond roedd hi wedi dod yn ôl yn glou bob tro a heb wilibowan yn unman. Roedd tymer wyllt Nanw wedi lleddfu o'r diwedd a hithau fel petai'n anwylach yn ei salwch. Agorodd Mair ei chaets a'i thynnu i'w chôl. Eisteddodd ar y gwely a cheisio cael Nanw i wneud yr un peth, gan gadw'i llaw tu ôl i'w chefn i'w gynnal yn syth a dal ei phen i fyny.

''Co ti… drycha…'

Agorodd ei llaw o flaen wyneb tenau Nanw. Agorodd honno ei llygaid bach yn ara a syllu ar y garreg. Byseddodd y golau cynnar hi a'i llenwi â golau meddal. Edrychodd Mair ar Nanw'n syllu mewn tawelwch a gwenu'n dyner arni. Yn ara bach, estynnodd Nanw ei llaw am y garreg a gwyliodd Mair hi mewn tawelwch. Cyffyrddodd hi â'r garreg a'i theimlo â'i bysedd bach tywyll am rai eiliadau, ei llygaid wedi'u hudo gan y dafn disglair. Gwasgodd Mair ei boch at ei boch hithau a bu llygaid y ddwy yn dawnsio ar hyd y gwyrddni am amser hir. Yna, wedi blino, fe dynnodd Nanw ei llaw yn ôl a chau ei llygaid unwaith eto. Diflannodd gwên Mair wrth droi i'w gwynebu. Roedd hi'n cysgu. Cusanodd Mair ei phen a'i chario'n ôl i'r caets gan ei rhoi i orwedd ar jar o ddŵr claear. Caeodd y caets yn sownd ond gan ddal i edrych arni am amser hir. Tynnodd y cloc ei sylw. Byddai Mo heibio cyn hir.

Diwrnod tawel fyddai hi yn y farced heddiw a phenderfynodd y ddwy fynd i edrych ar dŷ yn y dre. Roedd Mair eisiau gadael ei chartre am sbelen fach, ac yn ôl ei golwg dim ond cysgu byddai Nanw'n 'wneud. Gwthiodd Mair yr emrallt yn ôl yn y clwtyn a'i wthio i'w phoced er mwyn ei ddangos i Mo.

Heneiddiai'r haf ac wythnosau o haul crasboeth yn gwasgu i lawr ar yr arfordir. Roedd trydan yn clindarddach yn yr awyr a'r coed wedi eu naddu'n siarpach rywffordd yn y golau rhyfedd. Corddai'r cymylau'n llwyd a'r awyr yn clirio'i wddf bob nawr ac yn y man gan wneud i Nanw wingo yn ei chaets. Rhoddodd Mair got law yn ei bag gan sefyll ar garreg y drws yn y gwres i aros am Mo a'r chwys yn rhedeg i lawr ei chefn o dan ei blowsen ysgafn. Sylwodd Mair fod y dail yn moelyd yn y cloddiau a'u gwaelodion golau'n siffrwd yn yr awel. Tynnodd ei choler.

Ar gyrion y dre roedd y tŷ; eisteddai'n gysurus y tu ôl i ardd hyfryd a oedd bellach wedi tyfu'n wyllt. Wynebai talcen y tŷ at y môr a chilfach y bae o'i flaen. Dilynodd y ddwy'r llwybr i'r drws cefn. Tŷ o'r tridegau oedd e, a ffenestri agored ar bob talcen er mwyn rhoi digon o olau y tu mewn. Sychodd Mo'r chwys ar ei

gwyneb â hances cyn gwthio'r drws cefn yn agored. Gadawyd y
tŷ fel ag yr oedd e – popeth ar hyd y lle a'r gegin fach yn blastar
o bethau – ac felly byddai gwaith diwrnodau o gymoni 'ma.
Tynnodd Mo anadl hir. Er ei bod hithau wedi rholio'i llewys i
fyny roedd y chwys yn dal ar ei bochau a'i hanadl yn swnllyd.
Chwaraeai'r gwres hafoc â'i hysgyfaint.

''Newn ni'r pethe mwya heddi. Deith Dai â fi'n ôl i neud y
fflwcsach.'

Nodiodd Mair.

Paentiwyd y welydd mewn rhyw liw hufennog cynnes a'r celfi
o'r un cyfnod yn matshio'r tŷ. Cegin fach oedd hi a bwrdd pren
cyffredin yn ei chanol. Roedd llieiniau sychu llestri yn hongian yn
y llwch ar fraich y stof. Cerddodd y ddwy trwyddo i'r stafell fyw
lle'r oedd golygfa hyfryd i lawr at y môr. Tra bod Mo'n marcio'r
celfi fe eisteddai Mair ar sil y ffenest lydan yn edrych allan ar y
môr. Hedfanodd cawod o wylanod heibio fel lluwch o eira oddi
ar y môr tuag at ddiogelwch y tir. Roedd y cymylau yn pwdu'n
gyflym a'r awyr yn feichiog dan law. Clywai Mo'n whilmentan
trwy'r stafelloedd ond doedd dim whant ar Mair fynd i dwrio.
Roedd hi wedi darllen llythyron y dyn tawel ers wythnosau heb
ddim llwyddiant, ac am y tro cyntaf ers blynyddoedd doedd dim
whant arni grafu trwy ragor o hen bapurau am sbel. Tynnodd
glustog oddi ar un o'r seddi cyfforddus a phwysodd yn ôl yn
erbyn y wal i aros. Roedd Mo wedi dechrau chwibanu fel arfer.
Syllodd Mair ac arhosodd gyda'r gwres yn mogi'n ara bach
a'r awyr yn clafychu. Doedd dim rhaid iddi aros yn hir ar ôl y
bwgwth. Glaniodd y dafnau. Dafnau trwm o law cynnes ar wydr
y ffenest. Un ar ôl y llall. Craciodd y gwres fel llester gan anfon
saethau o olau arian i lawr at y môr. Goleuodd yr holl stafell.
Dechreuodd y gwynt godi a daeth Mo i mewn i'r stafell wrth

glywed y tyrfe. Eisteddodd ar bwys Mair wrth y ffenest.

'Dafi Jones yn dangos ei ddanne heddi 'to,' meddai hi o dan ei hanadl.

Gwyliodd y ddwy y gwreichion o fellt yn dawnsio ar hyd y gorwel. Llifodd y dŵr ar hyd y pridd yn yr ardd gan olchi'r llwch i ffwrdd, ond roedd y ddaear yn rhy galed a'i gwddwg yn rhy sych i'w lyncu. Dechreuodd nant fach godi a rhedeg i lawr yr hewl o flaen y tŷ. Cyfrifodd y ddwy'r eiliadau rhwng y mellt a'r tyrfe a gwenu ar ei gilydd wrth iddyn nhw rwygo uwch eu pennau. Meddyliodd Mair am Nanw.

Fe gododd y tonnau hefyd gan gario cesig gwynion i'r traeth. Siglai'r môr yn ôl ac ymlaen gan anfon cawodydd ar hyd y lan. Roedd hi'n anodd gweld lle'r oedd y môr yn dechrau a'r tir yn gorffen. Cododd Mo a mynd i moyn y fasged fwyd. Agorodd y fflasg ac arllwys dwy gwpaned iddyn nhw gael eu hyfed wrth fwynhau'r sioe.

''Na beth yw iachâd,' meddai Mo gan syllu ar y môr cyn sylwi ar wyneb Mair. Roedd honno'n gwenu'n dawel ar y glaw.

'W… Wyt ti'n iawn?'

Troiodd Mair ei phen ac edrych arni. Gwenodd.

'Odw…'

'Ti'n edrych yn… wahanol, 'na i gyd…'

Tynnodd Mair yr emrallt o'i phoced a'i gwthio i gledr llaw Mo. Goleuodd gwyneb honno wrth i fellten arall gynnu'r nen.

''Nes di ddi!' Rhoddodd Mo ei chwpan i lawr. Cydiodd yn yr emrallt a'i llygaid bron â'i llyncu. 'Ma hi… wel… yn… ofnadw o bert.'

Gwenodd Mair arni.

'A ma'r tân sy ynddi… yn well na'r mellt.' Gwenodd ar Mair a'i rhoi'n ôl iddi. 'O'n i'n gwbod 'nelet ti ddi yn y pen draw.'

Setlodd y ddwy i dawelwch cysurus gan wylio'r byd yn gwenwyno.

Wedi iddyn nhw orffen eu te, fe ddechreuodd y tyrfe lusgo'u traed ar ôl y mellt ac fe lefodd y cymylau eu hunain yn sych. Peidiodd y glaw gnocio ar y ffenest a phaciodd Mo'r fasged yn ara bach.

Wrth i'r ddwy adael y tŷ fe feddyliodd Mair mai hwn oedd y tŷ hardda a welsai erioed. Ac wrth iddi gerdded tuag at gar Mo, gan deimlo'r emrallt yn ei phoced, fe sylweddolodd fod ei ffroenau'n llawn arogl y pridd. Tynnodd anadl hir gan fwynhau ei felystra a gwenu wrth iddi hi a Mo yrru i ffwrdd.

Agorodd Mair yr holl ffenestri yn y bwthyn gan fod yr aer yn iachach heddiw a'r wybren wedi setlo'n rhyw las dwfwn blinedig fel y byddai'n gwneud ar ôl storm. Roedd Nanw wedi bod yn sâl dros ei dillad gwely oherwydd i'r tyrfe godi ofn arni. Buodd Mair yn glanhau'r cwbwl a golchi'r blancedi a'u hongian ar y lein ddillad yn yr ardd. Meddyliodd fod Nanw'n edrych dipyn yn well heddiw, a'r gwres dychrynllyd wedi llacio'i afel dipyn. Er i Mair wthio cneuen ac ychydig o gig yn ei cheg yn y bore, fwytodd hi ddim chwaith. Buodd Mair yn sortio dipyn ar y gemau hefyd ac yn meddwl sut byddai'r emrallt yn edrych ar ei orau – ar fodrwy neu mewn neclis. Roedd hi yn y cefn yn cymhennu dipyn pan gyrhaeddodd Mo ac eistedd yn dawel ar bwys caets Nanw. Daeth Mair ar hyd y coridor gan neidio mewn braw wrth ei gweld.

'Mo!'

Roedd hi mor wyn â'r galchen. Edrychodd i fyny a syllu i wyneb Mair. Crynai dwylo Mo wrth iddi ddal y bocs yn ei chôl.

'Mo? Be sy'n bod?' meddai Mair yn syn.

Roedd golwg bryderus arni. Sythodd ei gwên.

'Mo?'

Edrychodd Mo ar y bocs yn ei chôl. Sylwodd Mair fod ei dwylo'n dal i grynu a'i hanadl yn fyr ofnadw.

'Mo... well i ti ddefnyddio'r pwmp... ma dy frest di...'

Siglodd honno ei phen.

'Mo, be sy'n bod?' holodd Mair unwaith eto.

Cydiodd Mo yn y bocs a'i estyn i Mair. Roedd ei llais yn fach ac yn crafu heb hyd yn oed gysgod na thinc o'r bywiogrwydd arferol yn agos ato.

''Yf fi wedi ffindio… beth ro't ti'n whilo amdano,' meddai a dagrau'n llifo i lawr ei bochau.

Edrychodd Mair arni mewn ofn. Sythodd ei gwyneb hithau. Edrychodd y ddwy i mewn i lygaid ei gilydd am eiliadau hir.

''Yf fi wedi dod o hyd i beth ro't ti'n whilo…' meddai Mo eto a'r dagrau'n dal i lifo. 'Fe ddes i â nhw draw cyn gynted ag y gallen i.' Roedd y bocs du yn dal i grynu yn nwylo Mo wrth iddi ei ddangos i Mair. 'O'n i'n ffaelu cysgu. Es i 'nôl i'r tŷ…'

'Pa dŷ?'

'Y tŷ buon ni ynddo ddoe… yn y storom 'na.'

Edrychodd Mair ar Mo gan geisio dilyn ei geiriau.

'Plîs…'

Edrychodd Mair ar y bocs. Roedd hi wedi gwelwi a'i llygaid wedi suddo damed. Plethodd ei dwylo yn ei gilydd a'u dal o flaen ei brest.

'Plîs Mair…'

Estynnodd Mair ei breichiau tuag at y bocs a chydio ynddo, a'i ddüwch yn amlygu'i chroen gwyn. Camodd yn ôl ac eistedd ar y gwely gan rythu arno. Syllodd Mo arni heb symud ei llygaid. Teimlodd y bocs o dan gledr ei llaw am eiliad a chwmpodd deigryn o'i llygad ar y caead. Sychodd ef i ffwrdd ac ôl y deigryn yn gwneud y du'n dduach.

'Sdim rhaid iti'i agor e,' meddai Mo. Roedd hi wedi codi ac yn penglinio o flaen Mair. Cydiodd yn ei braich.

'Fi wedi aros mor hir…'

Nodiodd Mo trwy ei dagrau.

'Ma… ma'n ddrwg 'da fi mai fi ffindiodd nhw.'

Gwenodd Mair yn drist.

'O'n i'n barod i roi'r gorau i chwilio… wel, bron â bod yn barod ta beth. 'Nes i ddim… 'nes i ddim whilo yn y tŷ… y tŷ 'na. Falle bo fi ddim i fod i'w ffindio nhw.'

Cuddiodd Mo ei cheg â'i dwylo wrth weld Mair yn rhythu i lawr ar y bocs.

'Ti isie i fi fynd?'

Siglodd Mair ei phen a chydio yng nghaead y bocs.

'O'n i'n clirio o dan y gwely… o'dd lampe 'da fi… tri o'r gloch y bore, a 'nes i ddigwydd edrych…'

'O dan y gwely?'

Nodiodd Mo.

Er iddi chwilio ers blynyddoedd am y rhain doedd ganddi mo'r galon i agor y caead. Roedd pennod o'i bywyd ar ben bellach ac fe wyddai hi hynny.

'Dere…' sibrydodd Mo. Edrychodd Mair arni wrth iddi wasgu'i braich. 'Dere, agora fe.'

Er bod ei chalon yn gwingo, fe estynnodd Mair ei bysedd o dan gaead y bocs a'i blicio ar agor. Degau ar ddegau o doriadau o bapurau newydd. Roedden nhw i gyd yn felyn gan oedran erbyn hyn ond roedden nhw yr un rhai'n union ag oedd gan Mair mewn bocs o dan ei gwely hithau. Roedd dyddiad mewn inc wedi'i ysgrifennu yng nghornel pob un. Llithrodd y dagrau o'i llygaid ac ar brint y toriadau. Llun babi. Babi mewn breichiau nyrs. Babi wedi'i adael ar garreg drws yr offeiriad. Llenwodd llygaid Mair.

Yn ôl yr adroddiad roedd y ferch fach wedi dioddef ychydig o fod allan yn yr oerfel a heb gael ei bwydo ers tro. Wedi'i gadael mewn rhacsyn gwyn o siwt fach, rywbryd yn oriau mân y bore. Edrychodd Mair ar ei gwyneb bach hi ei hunan pan oedd yn fabi. Ei llygaid yn cau o dan fflachiadau camerâu'r holl ffotograffwyr. Roedd ei gwyneb hi'n gwlwm dan lefen. Buon nhw'n holi a oedd unrhyw un yn gwybod rhywbeth am ferch ifanc yn bihafio'n wahanol i'r arfer. Menyw briod, efallai, nad oedd neb wedi'i gweld ers amser hir. Ond doedd neb wedi gweld dim byd. Roedd yr offeiriad yn dweud mai gwyrth oedd y cyfan, wrth gwrs. Clywed sŵn llefen wnaeth e yn yr oriau mân wrth iddo weddïo. Cynigiodd gartre iddi gyda phomp a seremoni. Merch fach yn anrheg. Merch fach o'r niwl. Yr heddlu'n holi am iechyd y fam, wrth gwrs. Caeodd Mair y bocs. Roedd Mo ar ei phengliniau wrth ei thraed.

'Fe gadwodd hi nhw… ' meddai hi trwy ei dagrau.

Chlywodd dim un o'r ddwy Nanw'n symud. Cododd yn sigledig a gwasgu'i gwyneb ar fariau'r caets i wrando.

'… hwn oedd yr unig obeth o'dd 'da fi…' ei llais yn drwm ac yn ddwfn.

Edrychodd Mair ar Mo. 'Ma hi wedi mynd,' meddai'n syml.
Gwasgodd Mo ei llaw.

'O leia, 'yf fi'n gwbod pwy… alla i ffindio pwy oedd hi.'

'Falle bod 'na dylwyth,' cynigiodd Mo.

'Pam alwon nhw ni i glirio'r tŷ wedyn te?'

Edrychodd Mo ar y llawr.

'Ac os oedd 'na rai… allan nhw ddim rhoi atebion i fi… dyw hi, mwy na thebyg, erioed wedi gweud wrth neb. Fydden nhw ddim hyd yn oed yn credu'r stori.'

Gwasgodd Mair fraich Mo. Cydiodd Mo yn ei llaw a chwmpodd y bocs i'r llawr. Edrychodd Nanw ar y papurau ar wasgar.

'Ro'n i mor agos ati, Mo… ro'dd hi'n fyw. Newydd fynd ma

hi, ddim hyd yn oed yn byw ymhell iawn... yr holl flynydde
'na.'

'Paid... paid â meddwl fel'na.'

'Mor agos...' Llyncodd Mair ei phoer yn galed a gadael i'r
dagrau gwympo'n dawel. 'Ma... ma isie 'bach o awyr iach arna
i.'

'Fe ddo i 'da...'

Cododd Mair ar ei thraed a cherdded am y drws a golwg bell
arni. 'Na, na... gwell 'da fi fynd...'

'Ond Mair... wyt ti wedi cal...' Symudodd Mo ei phwysau
i'w dilyn.

'Bydda i'n iawn...'

Edrychodd Mair ar Mo am yn hir a gwenu arni. Nodiodd Mo
a diflannodd Mair drwy'r drws. Eisteddodd Mo ar y gwely ac
edrych ar y bocs du ar lawr. Sychodd ei dagrau wrth iddi feddwl
a meddwl am hydoedd, gan dynnu'i hanadl yn boenus a throi ei
hances yn ei bysedd.

Cerddodd Mair yn syth ar draws yr hewl heb edrych a heb sylwi
ar y gwylanod yn wyn llachar yn erbyn yr awyr. Roedd yr awyr
yn llawn maeth a hithau'n ceisio anadlu'n ddyfnach i dynnu'r
ffresni yn ddwfn i'w hysgyfaint. Cerddodd yn gyflym i lawr y
llwybr heb edrych i unrhyw gyfeiriad gan golli'i balans ambell
dro ar y sgri a orweddai'n beryglus ar hyd y llwybr. Pasiodd drwy
gwmwl o bersawr trwm yr eithin a wnaeth i'w stumog droi.
Cerddodd at y traeth ac yn syth am y môr. Sefodd yn stond ac
edrych ar hyd y traeth. Tynnodd anadl siarp.

Golchwyd miloedd ar filoedd o sêr y môr i'r lan ar ôl y storom.
Gorweddai'u cyrff rif y gwlith yn garped trwchus ar hyd y traeth.
Cerddodd Mair drostynt, ac arogl eu pydredd yn codi o dan ei

thraed. Gwingai rhai, yn dal yn fyw. Roedd y traeth yn rhyw oren a glas a phorffor annaturiol a'r tonnau'n bla ohonyn nhw wrth i ragor o gyrff gael eu gwthio i'r lan ar grib y tonnau, heb obaith cael dianc oddi ar y traeth. Roedd yna gwmwl o adar wedi casglu'n barod ar gyfer y wledd, ac yn aros yn anfodlon gan y byddai'n rhaid i Mair gilio o'r traeth yn gyntaf. Ar ôl cyrraedd ochr arall y traeth, ymhell o olwg unrhyw un, fe sefodd Mair a rhoi ei dwylo dros ei gwyneb. Gadawodd i'r dagrau lifo nes bod ei phen yn dost ac fe syrthiodd ar ei phengliniau yn y tywod – yn llawer agosach at y tonnau nag y bu erioed o'r blaen. Cuddiodd ei gwyneb yn ei dwylo a theimlo rhyw hen fflam yn diffodd ymhell y tu mewn iddi. Pan gododd ei phen, roedd y gorwel yn gam trwy ei dagrau a'r adar sglyfaethus yn gwledda ar y sêr ar lawr.

BELLACH, ROEDD HI'N NOSI a Mair wedi bod yn cerdded yn ôl ac ymlaen yn y stafell wely ers oriau. Gosododd ei llaw dros ei cheg wrth iddi edrych ar y bocs du a orweddai erbyn hyn ar y gwely wrth ymyl ei chasgliad hi o doriadau papur newydd. Gwaethygodd cyflwr Nanw, ei chorff yn clymu'n gwlwm tyn a'i chymalau'n crynu nes ei bod yn sgrechian gan boen. Methai Mair yn deg â dioddef y sŵn funud yn rhagor. Bellach, roedd hi'n rhy hwyr i fynd i nôl y milfeddyg a chwysai Mair wrth wylio'r corff main yn gwingo. Roedd hi mor ysgafn â phluen a'i dwylo bach yn clymu'n ddyrnau o flaen ei gwyneb. Doedd Mair ddim yn gwybod beth i'w wneud.

Y tu allan, roedd y lleuad lawn yn anfon golau ysgafn arian ar hyd yr arfordir gan wneud i'r môr sgleinio. Gwingai'r sêr yn bigiadau bach caled a doedd dim awel na swnyn yn unman, dim ond griddfan Nanw'n dioddef a sŵn sodlau Mair ar y llawr. Cododd y sgrechen yn uwch eto – sŵn udo fel babi – a gwasgodd Mair ei gwyneb yn ei dwylo.

'*Shshshshsh...*' erfyniodd ar Nanw. Roedd hi wedi ceisio gweddïo ond rhwygai'r sgrechiadau drwy'r tawelwch gan aflonyddu arni. Allai hi ddim canolbwyntio. 'Bydd ddistaw.'

Rhwbiai un llaw yn erbyn y llall a'i stumog wedi'i wasgu'n fach, fach. Cwlwm arall a gwyneb Nanw'n erchyll yn dangos y boen a ddioddefai. Dangosai ei dannedd i Mair.

'*Shshshshshsh...* plîs... *shshshshshshsh.*'

Eisteddodd Mair ar ei phwys a deigryn blinedig yn mynnu treiglo'i ffordd i lawr ei boch.

'Plîs paid… plîs bydd ddistaw… bydd ddistaw.'

Daeth sŵn annaearol o grombil Nanw.

'*Shshshsh*… plîs bydd ddistaw… allith Mam ddim dioddef mwy.' Edrychodd ar y cloc. Roedd hi'n hwyr. Crynodd y corff bach a diferodd dafnau o ddŵr allan o ochr ei cheg. Roedd ei llygaid yn fawr, fel petaen nhw'n gweld holl erchylltra'r byd.

'Plîs…'

Gwenwyno bibis unwaith eto.

Cododd Mair am eiliad cyn troi yn ei hunfan ac eistedd wedyn heb unman i fynd. Sgrech arall a Nanw'n crafu ar y bariau.

'Paid… paid, cariad bach… paid â llefen, cariad bach.' Roedd rhyw wylltineb yn llygaid y ddwy wrth iddyn nhw edrych ar ei gilydd. 'Plîs… plîs, paid ag ymladd. 'Yn ni wedi cal 'yn hamser gyda'n gilydd…'

Sylwodd fod diferyn o waed o dan drwyn y mwnci. Agorodd ei cheg a'i chau gan lyncu'r aer, fel petai hi'n boddi. Cododd Mair ar ei thraed.

'*Shshshshshshsh*… hen un fach, bydd dawel.'

Rholiodd llygaid Nanw yn ei phen unwaith eto gan udo a chrynu. Llenwai'r sŵn y tŷ a phob sgrech yn clwyfo Mair. Teimlai ei hun yn sigo. Edrychodd Nanw arni am amser hir a'r lleuad ddiniwed yn arian ar hyd ei chot dywyll.

'Plîs, rho lonydd iddi… Paid â gadel iddi hi ddioddef mwy,' erfyniodd.

Llonyddodd corff Nanw cyn iddi roi sgrech arall mor erchyll fel y gallasai fod wedi torri calon Mair yn ddwy.

Edrychodd Mair ar y môr ac yna 'nôl ar y mwnci. Symudodd yn agosach at y caets a stopio i feddwl am eiliad cyn rhuthro ato ac agor y drws. Cydiodd yn y mwnci. Gwingodd Mair wrth deimlo'i hesgyrn mor amlwg o dan y croen, a'r cyhyrau a'i gwnaeth hi mor gryf a phraff unwaith wedi meddalu bellach. Cododd hi'n grwn o'r caets a'i chario allan i'r coridor wrth i'w sgrechen ailddechrau. Cipiodd un o'r ffrogiau les trwm oddi ar fachyn a lapio'i chorff ynddi'n dynn.

'Aros di'n llonydd nawr de. Byddi di'n iawn... *shshshshshsh*.'

Tynnodd Mair siôl am ei phen a'i lapio'n dynnach amdani. Cydiodd yn y mwnci ac agor y drws. Edrychodd i'r dde ac i'r chwith cyn cau'r drws ar ei hôl. Croesodd yr hewl ac anelu am y sticil a oedd wedi'i goleuo gan y lleuad. Dilynodd y clawdd yn agos gan wasgu'r corff bach yn ei chôl a rhuthro rhag i neb ei gweld. Rhedodd, pan allai, a sgrechian y mwnci'n codi'n uwch ac yn uwch yn ei breichiau. Roedd y siôl am ben Mair yn cuddio'i hwyneb.

Rhuthrodd ar hyd y llwybr a chysgod y coed yn fariau ar ei hyd. Cododd ambell dderyn oddi ar y canghennau a sgrialu tua'r awyr gyda sgrech. Roedd y llwybr yn anoddach i'w weld yng nghanol y coed. Prysurodd ei ffigwr du yn y tywyllwch gan gadw'r bwndel yn glòs wrth ei bron. Teimlai'r corff bach yn caledu ac yna'n llacio yn ei breichiau. Gyda phob cam fe aflonyddai llais yn ei chrombil. Llais tawel yr offeiriad roedd hi wedi bod yn ei wasgu'n ddwfn i mewn yn ei pherfedd ers blynyddoedd. Dim ond drwg ddaw o ddrygioni. Dyw'r afal byth yn cwympo'n bell o'r goeden. Tebyg i ddyn fydd ei lwdwn. Dihangodd geiriau'r offeiriad o'i pherfedd gan ymledu trwyddi nes bod ei wyneb e'n glir yn ei phen.

Croesodd y traeth a sefyll am eiliad wrth i'r griddfan lacio. Roedd y môr wedi glanhau'r traeth yn lân erbyn hyn a'r tywod yn llyfn ac yn braf yn y golau arian. Edrychai fel dŵr llyn heb ddim byd yn tarfu ar ei lyfnder.

Ymladdodd Mair yn erbyn ei hofnau hi ei hun wrth iddi edrych ar y môr. Dechreuodd Nanw lefen eto. Camodd Mair yn nes at y dŵr a chwympodd y siôl oddi ar ei hysgwyddau. Roedd ei gwyneb yn wyn a'r pantiau yn ei bochau'n ddwfn. Roedd y tywod yn meddalu ac ôl ei thraed i'w weld yn amlwg ynddo. Gwrandawodd ar y llefen tawel a siffrwd y tonnau. Fel petai hi wedi'i swyno, fe gamodd yn agosach at y dŵr a disgleirdeb y môr yn tyfu'n brydferth o'i blaen. Ymestynnai llwybr o olau tuag ati bob cam o'r lleuad. Aroglai'r dŵr yn lân. Edrychodd Mair ar wyneb diniwed Nanw. Cyffyrddodd flaen ei throed yn y dŵr. Teimlai ei oerfel yn treiddio trwy ei holl gorff. Camodd i mewn eto gan wrando'n astud a chadw'i golwg ar y gorwel. Roedd y sêr yn grisialau peryglus yn yr awyr. Erbyn hyn, cyrhaeddai'r dŵr hyd at ei phengliniau a'r mwnci'n gwlwm caled unwaith eto.

'Dere di. Byddi di'n iawn. Dere di.'

Ffurfiai ei hanadl gwmwl yn yr oerni. Dechreuodd grynu a hithau ddim yn siŵr bellach pwy oedd hi'n ei gysuro.

'Dere di...' Rhoddodd gam neu ddau arall i mewn. 'Gariad bach...'

Edrychodd Mair o'i chwmpas yn ansicr. Teimlai gyda'i thraed cyn cymryd pob cam, gan osgoi ambell garreg a orweddai yn y dŵr. Sgrechiodd y mwnci'n uwch fel petai'n bwydo oddi ar nerfusrwydd Mair.

'Dere di...'

Roedd ei dillad yn llyncu'r dŵr a'r defnydd yn ei sugno i mewn a hithau bellach at ei chanol yn y môr. Sefodd am eiliad er mwyn edrych at y gorwel, ond roedd nadu'r mwnci'n llenwi'r awyr o'i hamgylch wrth gael ei daflu'n garreg ateb ar hyd y traeth. Edrychodd ar y gwyneb bach wedi'i lapio yn yr ŵn fedydd. Roedd y les yn fframio'i gwyneb a hithau'n syllu heb dynnu'i llygaid oddi ar Mair.

'Dere di...' roedd ei llais yn torri'n ddagrau. Cydiodd yn Nanw a'i throi fel y gallai edrych arni'n iawn. Teimlai Mair ar goll yn llwyr. 'Aros di fan hyn. Byddi di'n iawn.'

Roedd y dioddef wedi newid gwyneb Nanw, ac edrychai'n hen erbyn hyn.

'Do'dd dim gwerth fy medyddio i, ti'n gweld…'

Crynodd y mwnci.

'Do'dd dim fod rhoi rhywbeth mor frwnt â fi mewn dŵr glân…'

Edrychodd Nanw arni a throi ei phen i wrando.

'Dim fod…'

Cydiodd o dan freichiau'r mwnci a'i gwasgu'n dynn. Teimlai'r dŵr yn ei gwthio a'i thynnu.

'Dere di…' Crynai ei bochau dan ddagrau. 'Gariad bach…'

Tynnodd Mair hi tuag ati a chusanu'i thalcen cyn ei gwthio'n grwn o dan y dŵr. Ymladdodd y mwnci'n ffyrnig. Tasgodd y dŵr o'i hamgylch gan gorddi'r môr yn ewyn gwyn. Llefodd Mair a'i sŵn yn llenwi'r awyr â'i hiraeth. Ciciodd y mwnci, gan ymladd am ei bywyd, a chrafu breichiau Mair nes bod ei gwaed yn cymysgu â'r dŵr. Llenwai ei sŵn y bae wrth i'r tonnau ymledu'n hir ar hyd y traeth. Daliodd Mair ben Nanw o dan y tonnau nes bod y dŵr yn llonyddu a'r les yn chwifio'n ara yn y golau arian. Wrth i'r dŵr glirio, edrychodd Mair i lawr a gweld llygaid Nanw fel petaen nhw'n rhythu arni o dan y dŵr. Gadawodd y dwylo bach yn rhydd ac fe'i teimlodd yn suddo'n araf o'r golwg i dywyllwch y môr.

Sefodd Mair yno, gan wylio Nanw'n diflannu heb sylwi bod ei breichiau'n gwaedu. Llonyddodd dŵr y môr unwaith eto a dechreuodd Mair deimlo'r oerfel. Gwrandawodd am amser hir, ond doedd dim un swnyn i'w glywed. Roedd pobman yn dawel. Mor dawel â'r bedd.

Roedd Mair wedi bod yn cysgu ers diwrnodau. Daethai'n ôl o lan y môr a gorwedd yn ei dillad gwlyb ar y gwely bach a chysgu. Fe sychodd ei dillad yn stiff amdani ac fe ddechreuodd y crafiadau ar ei breichiau wella, diolch i'r holl halen yn nŵr y môr. Wedi rhai diwrnodau fe gododd, molchyd a gwisgo dillad glân. Fe fwytodd damed o fwyd hefyd – bwyd roedd Mo wedi bod yn ei adael ar stepen y drws mewn basged. Heddiw roedd hi'n teimlo'n well – er i'w chalon wingo wrth weld y cartref bach ar bwys y ffenest bellach yn wag. Eto i gyd fe ddaeth rhyw lonyddwch rhyfedd dros Mair. Doedd dim gofal 'da hi nawr ac fe fyddai'n medru gadael y tŷ gan fynd a dod fel y mynnai hi. Doedd hi ddim wedi bod mas eto, ond roedd hi'n rhydd i wneud ac roedd hynny'n anfon gwefr fach drwyddi.

Yn rhyfedd iawn, ac yn groes i'w disgwyl, doedd dim hast mawr arni i fynd yn ôl i'r tŷ y bu hi a Mo'n ei glirio noson y storom. Gwyddai fod y chwilio ar ben ac y byddai hi'n dod o hyd i'r hyn roedd hi i fod ei wybod yn y pen draw. Teimlai'n gartrefol yno – roedd hynny'n gysur – ac roedd ei mam wedi cadw toriadau'r papurau. Awgrymai hynny fod ganddi ryw deimladau tuag ati, o leiaf. Byddai hynny'n ddigon am nawr.

Doedd dim calon gan Mair i lanhau ar ôl Nanw. Fe adawodd y caets a'r cwbwl fel ag yr oedden nhw am rai diwrnodau, ond roedd y drewdod bellach yn ormod iddi. Y bore 'ma, ar ôl noson dda o gwsg a dau wy i frecwast, roedd hi am fwrw ati.

Golchodd Mair y blancedi i gyd a'u sychu a'u smwddio nhw cyn eu rhoi mewn sach ar bwys y bocs o dan ei gwely. Glanhaodd bowlenni bwyd Nanw a thynnu'r papur newydd tamp oddi ar waelod y caets. Doedd hi heb gael llonydd i'w lanhau mor lân cyn hyn oherwydd, fel arfer, fe fyddai Nanw'n tynnu'i gwallt, yn cipio'i breichledi neu'n crafu'n sbeitlyd bob tro y byddai Mair yn tarfu arni'n rhy hir. Pilodd y cardfwrdd o waelod y caets ac edrych mewn syndod. Yno, yn y cornel pella, roedd pentwr bach o greiriau. Darn punt, cnau ac un o freichledi Mair. Gwenodd yn drist wrth eu gweld. Roedd Nanw'n siŵr o fod yn dianc yn amlach nag roedd Mair wedi sylweddoli. Rhoiodd y creiriau ar y silff ben tân. Glanhaodd y caets a gadael y drws ar agor cyn ysgubo oddi tano â brwsh cans i gasglu'r holl fflwcsach.

Cerddodd wedyn i'r stafell orau gan agor drws y ffrynt ar y ffordd. Roedd yr hydref ar fin dod a bochau'r cnau yn gwrido'n swil yn y cloddiau o gwmpas y tŷ. Anadlodd yr awyr iach ffres cyn gadael ei phwysau i lawr yn ara bach a phenglinio o flaen bocs teganau Nanw. Llyncodd ei phoer cyn codi'r caead yn ara. Edrychodd y llygaid bach yn ôl arni. Cydiodd yn y teganau bob yn un cyn eu gwthio i mewn i sach. Tedi, a brynodd iddi yn y farced; pêl a chloch ynddi i'w chadw hi'n brysur; darn o raff liwgar i'w chnoi. Gwthiodd y cyfan i waelod y sach gan sicrhau bod pob un yn diflannu. Doedd dim byd ar ôl bellach ond y bocs lledr yn dal y gemau, a'r emrallt yn y rhacsyn gwyn. Tynnodd Mair anadl hir a chlymu ceg y sach yn dynn. Caeodd gaead bocs y gemau.

Clywodd sŵn rhywun yn clirio'i wddf. Cododd Mair yn ffwdanus ar ei thraed.

'Eirwyn!'

'Ma'n ddrwg 'da fi… o'dd… o'dd y drws ar agor.'

'O, do's dim ots o gwbwl.'

Edrychodd Mair ar y sach wrth ei thraed. Sylwodd Eirwyn ei

bod hi wedi colli tipyn o rân.

'O… 'Yf fi wedi dod â… ' oedodd am eiliad. 'Wedi dod â'r cloc i chi gael 'i weld e. ' Roedd ganddo focs bach o dan ei fraich.

'O.'

'Ond os nad yw hi'n gyfleus…'

'Na… na, ma hi'n eitha reit.'

Gwenodd Eirwyn.

'Ffordd hyn,' meddai Mair. Dilynodd Eirwyn hi i'r stafell wely a phwyntiodd hi at y stôl ar bwys yr hen gaets. Eisteddodd Eirwyn gan edrych ar y caets heb weud dim.

'Af i neud te i ni nawr.'

Prysurodd Mair i'r gegin yn falch o gael y cyfle i feddwl. Chwiliodd am fŷg sbâr ac arllwys dŵr o'r tegyl i wneud te padi. Arllwysodd laeth i'r ddau fŷg a'u cario'n ôl at Eirwyn gan ganolbwyntio rhag colli'r te ar lawr.

Roedd Eirwyn yn sefyll â'i gefn ati yn edrych ar y silff ben tân. Troiodd a gwenu arni wrth dderbyn y te.

'Ma 'da chi lot o deulu…'

Edrychodd Mair ar ei mỳg.

'Lot o deulu…'

Cydiodd Eirwyn yn y llun o'r ferch ar y beic.

'Eich mam?'

Edrychodd Mair i fyny'n siarp. 'Beth?'

'Ma hi'n 'run sbit â chi… edrych fel eich mam chi…'

Meddyliodd Mair am eiliad gan edrych ar ddrws agored y caets gwag. 'Nage…' meddai hi o'r diwedd. 'Ma Mam newydd farw.'

Diflannodd gwên Eirwyn. 'O, ma'n ddrwg 'da fi…'

Nodiodd Mair gan deimlo rhyddhad wrth allu cyfeirio at ei mam heb ddweud celwydd.

Cododd Eirwyn un o'i aeliau. 'O'ch chi'n agos ati?'

Trodd un ochr ceg Mair yn wên. 'Na… weden ni mo 'ny.' Aeth i eistedd ar y gwely.

'Ma fe wastad yn sioc, on'd yw e?'

Nodiodd Mair.

'Ond ma hi mewn lle gwell…' Aeth Eirwyn heibio iddi ac eistedd i lawr.

'Chi'n meddwl 'ny?'

'Wel…'

'Yn y nefoedd?' gofynnodd Mair eto a'i chalon yn cyflymu.

''Na be licen i feddwl… ' Oedodd am eiliad a thywyllodd ei lygaid. 'Mair…' Roedd olion poen yn ei lygaid a'i ddwylo'n dechrau cydio'n dynnach am y mỳg '… Fy ngwraig i…'

''Yf fi'n gwbod,' meddai Mair gan ei dawelu. Doedd hi ddim eisiau gwneud iddo ynganu'r geiriau.

Cododd Eirwyn ei ben. Roedd yna ddagrau yn ei lygaid. Nodiodd. Llyncodd Mair ei phoer.

'Ma'n ddrwg 'da fi,' meddai Mair o'r diwedd.

'Licen i feddwl am y nefoedd,' meddai e eto a'i lygaid yn fawr.

Gwenodd Mair. 'Wrth gwrs.'

Syrthiodd tawelwch rhwng y ddau am yn hir. Cyrliodd mwg y te i'r awyr rhyngddyn nhw.

'Ma…' cychwynnodd Eirwyn eto'n fyfyriol, '…ma babis yn breuddwydio yn y groth. '

Edrychodd Mair arno mewn syndod.

'P… pan o'n ni'n trial am fabi. O'n i'n darllen ambiti'r peth…

ma nhw'n breuddwydio… Am beth ma nhw'n breuddwydio os nad oes nefoedd i gael?'

Meddyliodd Mair am yn hir.

''Dyn nhw ddim wedi gweld dim byd yn 'u bywyde ond ma nhw'n breuddwydio am rywbeth yn y tywyllwch,' ychwanegodd e.

Meddyliodd Mair am y teganau yn y sach yn y stafell arall. Meddalodd ei gwên ac edrychodd y ddau ar ei gilydd.

'Ma'n ddrwg 'da fi na wedes i…'

'Peidwch ag ymddiheuro.'

'O'n i ddim wedi gweud wrth neb…'

'Wrth gwrs.'

Roedd awel wedi tynnu trwy'r tŷ gan wneud i ddrws y caets gwag siglo yn y gwynt. Sylwodd Mair ar y bocs wrth draed Eirwyn.

'Gewn ni weld y cloc 'na, te?'

Dechreuodd Eirwyn agor y bocs a'r sgwrs yn siglo yn yr awel cyn diflannu allan drwy'r drws.

''Yf fi wedi bennu'r casyn ac wedi gosod y geme i gyd… ma nhw'n fendigedig.'

Roedd ei ddwylo'n gryndod i gyd erbyn hyn.

'Ma fe wedi dod yn gwmws fel ro'n i wedi'i ddychmygu fe.'

Tynnodd y cloc o'r bocs. Roedd wedi'i lapio'n ofalus mewn papur sidan. Agorodd hwnnw'n ara bach a Mair yn gwylio'i ddwylo. Tynnodd y darn o'r papur a'i osod i eistedd ar gledr ei law. Gwenodd ar Mair.

'Be chi'n feddwl?'

Roedd y wats wedi'i throi'n gloc tad-cu crand, pob awr wedi'i marcio â gem fach a'r rheiny'n dal y golau.

''Yf fi wedi bod yn dysgu… ' meddai gyda gwên, 'purddu

ar gyfer hen eneidiau am ddeuddeg… amethyst i ochel rhag meddwdod…'

Gwenodd Mair yn ôl.

'Gwyrddlas i helpu'r… ' rhwbiodd ei ben gan feddwl.

'… llongwyr,' gorffennodd Mair ei frawddeg.

'Wrth gwrs!'

Roedd y cloc yn gampwaith.

'Smo i 'di'i osod i redeg, to. O'n i'n meddwl falle gallech chi neud…'

'Fi?'

'Pam lai?'

'O, na… sa i'n… '

'Dewch mlân. Agorwch y cefen fan hyn a'i weindio fe.'

Gwasgodd Eirwyn ar y drws bach ym mola'r cloc ac roedd yna fwlyn bach i'w weindio. Estynnodd y cloc i Mair. Cydiodd hithau ynddo, a'i bysedd i'w gweld yn glambar wrth drin y cloc bach delicet. Gwyliodd Eirwyn hi.

'Angen i chi'i droi e ddigon i dynhau'r *spring*. Wedyn fe alla i fynd â fe i mewn i'r tŷ. Ma fe bwti bod yn barod 'da fi erbyn hyn.'

Troiodd Mair a chlywed y sŵn yn rhician. Troiodd y bwlyn yn dynn nes na allai hi droi rhagor a gosod y cloc ar y silff ben tân. Caeodd y drws. Edrychodd y ddau ar y gwyneb bach. Fe ddechreuodd y breichiau grynu tamed ac, ar ôl eiliadau, fe gamodd y cloc ymlaen a'r golau'n gwneud i'r rhifau bach ddisgleirio yn bob lliw.

ROEDD YNA FYRDDAU HIR wedi'u hoelio ar draws ffenestri mawr y farchnad gan wneud y lle'n dywyll ac yn oerach y tu mewn. Er bod rhai misoedd eto cyn i'r gwaith adeiladu ddechrau, roedd dynion mewn hetiau caled yn cerdded yn bwysig ar hyd y lle, yn mesur ac yn tynnu lluniau â chamerâu bychan. Sythodd Mair ei chefn wrth i rai gerdded heibio. Cododd Mo ei haeliau tuag ati a thynnu ei thafod y tu cefn i un o'r dynion gan godi gwên ar wyneb Mair.

Roedd y ddwy'n clirio stondin Mo. Yn naturiol, roedd hi wedi gadael i'r stoc redeg yn isel yn ddiweddar beth bynnag ac wedi bod yn gwerthu popeth yn rhad er mwyn cal gwared arnyn nhw. Daeth sawl hen fenyw fach i brynu tipyn o stoc ganddi – manion fel bratiau a ffedogau wrth sylweddoli bod bargeinion ar gael. Roedd Mo wedi gwisgo un o'r bwâu pluog a oedd ganddi ar werth ac roedd hi'n smygu'n drwm gan dapio rhyw focs i'w gau ar yr un pryd.

''Na beth yw diwrnod diflas,' meddai hi gan dynnu'r sigarét o'i cheg, 'ond 'na fe, ry'n ni wedi cal 'yn siâr o sbort 'ma, on'd do fe?' Dechreuodd Mo wenu. 'Ti... ti'n cofio pan brynodd y dyn 'na ryw nicers fan hyn a'i wraig e'n dod 'nôl â nhw drannoeth. Ise gwbod i bwy roedd e'n 'u prynu nhw!'

Gwenodd Mair hefyd.

'A phan ddath y dyn 'na i mewn yn chwilio am flwmers iddo fe'i hunan!'

Roedd bola Mo'n corco nes bod yna ddagrau yn dod o'i llygaid. Dim ond gwenu wnaeth Mair wrth ei gwylio.

'Ma pobl yn bethe rhyfedd, sdim dowt amdani,' meddai trwy ei gwên, 'ond 'na fe, ma popeth da yn dod i ben.'

Buodd y ddwy'n clirio am ychydig oriau nes bod y nicers a'r tywelion a'r llieiniau golchi llestri wedi'u pacio mewn bocsys. Gwthiodd Mo lwyth o beisiau a dillad isa maint Mair i gwdyn a'u rhoi yn ei llaw. Roedd y stondin yn wag ac yn drist yr olwg ac fe ddaliodd Mair Mo'n edrych arno. Aeth Mair i brynu paned i'r ddwy ohonyn nhw, gan fod Mo wedi pacio'i thegyl. Eisteddodd y ddwy yng nghanol y bocsys yn cloncan â hwn a'r llall o'r stondinwyr eraill a ddaeth â chardiau yn dymuno pob lwc a ffarwél i Mo a Mair. Roedd y gofalwr wedi prynu bwnsied o flodau iddyn nhw hefyd a Mo'n mynnu cael cusan fawr ganddo gan godi chwerthin ymhlith y stondinwyr eraill. Daeth Ieuan draw hefyd, a'i lygaid yn llaith, i ddweud ei ffarwél. Fe ddoth â photel o whisgi i Dai a charden a rhosyn yr un i Mo a Mair. Gofynnodd iddyn nhw eu plannu yn yr ardd er mwyn iddyn nhw ei gofio fe. Ar ôl i bawb fynd, eisteddodd y ddwy mewn tawelwch.

''Yf fi'n mynd 'nôl heno os wyt ti isie dod 'da fi...'

Edrychodd Mair arni. Meddyliodd am yr hen dŷ yn edrych yn dawel i lawr am y môr.

'Sa i'n... sa i'n siŵr.'

'Falle fydde fe o help i ti,' awgrymodd Mo.

Meddyliodd Mair am Nanw ac am Eirwyn.

'Falle ddo i 'da ti,' cytunodd Mair o'r diwedd.

Cododd Mo a phoeri ar ei llawes a rhwbio'r defnydd gwlyb ar hyd y pren mesur copyr yn y cownter a'i bolisio'n loyw.

'Wel...' meddai hi gan godi'r cwpan polisteirin a'i daro yn erbyn un Mair, 'i ddechreuad newydd.'

Gwenodd Mair ac edrych arni. 'Pob lwc i ti, Mo...'

'Bydd isie 'bach o lwc ar y ddwy ohonon ni…'

Yfodd y ddwy'n dawel gan wylio'r siopwyr ola'n diflannu allan drwy'r drysau.

Daethon nhw allan o'r car. Roedd Mair wedi dod â'r bocs gemau am ryw reswm ac wedi'i ddal yn ei chôl yr holl ffordd. Buodd Mo'n clebran am y busnes newydd a'r clirio mowr oedd i fod ddigwydd er mwyn gwneud elw ar ôl colli'r stondin yn y farced. Edrychodd y ddwy ar y tŷ yng ngolau diwetha'r dydd. Roedd y dydd yn byrhau'n barod a'r mieri yn yr ardd yn drwm o hen fwyar duon wedi'u sarnu gan y glaw. Llyncodd Mair ei phoer cyn codi'i phen yn uchel a cherdded i fyny'r llwybr. Meddyliodd tybed oedd hi wedi bod yna o'r blaen yn blentyn bach? Gan i'w mam gadw'r toriadau papur newydd, mae'n rhaid ei bod hi wedi poeni llawer. Roedd hynny'n rhywbeth, rhesymodd hi. Gallai rhywun fod wedi dod o hyd iddyn nhw ac wedi gofyn cwestiynau digon lletchwith iddi. Tybed fydde hi'n edrych arnyn nhw bob nawr ac yn y man, yr un ffordd ag y bu hithau'n ei wneud, meddyliodd? Efallai ei bod hi'n grefyddol gan iddi adael ei babi ar drugaredd haelioni'r offeiriad.

'Ti'n barod?' gofynnodd Mo cyn rhoi'r allwedd yn y clo.

Nodiodd Mair.

Roedd y gegin fel y gadawyd hi ganddyn nhw, noson y storom. Cerddodd Mair i mewn o flaen Mo. Stopiodd Mo wrth y bwrdd ac edrych ar Mair.

'Wyt… wyt ti isie gweddïo?' holodd Mo'n ansicr.

Gwenodd Mair gan mai dyna'r tro cynta roedd Mo erioed wedi gwirfoddoli i weddïo.

'Na… na, dim heno.'

Edrychodd Mo arni mewn syndod.

"Yf fi wedi gweddïo'n siâr,' meddai hi eto gan droi ei chefn.

Roedd y tŷ yn dal i deimlo'n gynnes ac aeth Mo ati i glirio cynnwys droriau'r gegin i mewn i sachau duon a gâi eu cadw o dan y sinc.

Cerddodd Mair heibio iddi. Roedd hi'n ffaelu cofio a oedd lluniau yn y stafell fyw ai peidio. Edrychodd ar y lle tân. Dim byd. Dim byd ond cylchgronau garddio, sbienddrych i edrych allan dros y môr a phâr o lasys. Cydiodd Mair ynddyn nhw. Tybed oedd ei mam yn cael pennau tost? Crychodd Mair ei thalcen wrth feddwl nad oedd hi, beth bynnag, ddim angen glasys. Doedd dim arall o bwys yma. Troiodd at y drws yng nghefn y stafell fyw a gweld y grisiau. Grisiau llydan a ffenest fach o wydr lliw hanner ffordd i fyny. Pasiodd honno a cherdded gam wrth gam i fyny'r stepiau gan sadio'i hun wrth fynd. Meddyliodd mai ei mam, mwy na thebyg, oedd y diwetha i gyffwrdd yn y canllaw. Roedd y landin yn agored ac yn olau gyda silff lyfrau yn gwegian dan bwysau rhes o lyfrau prydferth. Gwenodd Mair. Roedd hi'n hoff o ddarllen. Pedwar drws ar y landin. Edrychodd yn gyflym. Tair stafell wely a stafell molchi.

Gwthiodd ddrws y stafell orau ar agor. Roedd hi'n daclus a gwely mawr pren yn gwynebu'r ffenestr a edrychai i lawr dros y môr. Cerddodd Mair at y gwely a rhedeg ei bys ar hyd y pren ar ei waelod. Cododd gornel y garthen ac edrych. Roedd yna bant lle bu corff yn cysgu. Gwenodd a theimlo'r fatras lle'r oedd ei phwysau wedi bod yn gorffwys. Edrychodd tuag at y *dressing table*. Roedd yna bersawr a brwsh gwallt arno. Closiodd Mair ato a chydio yn y brwsh. Roedd e'n lân. Mynwesodd siâp y botel bersawr yn ei bysedd cyn agor y corcyn gwydr. Tynnodd anadl hir er mwyn arogli'r persawr. Colur, a hwnnw'n golur drud. Roedd hi'n amlwg yn edrych ar ôl ei hun. Roedd hi'n siŵr o fod yn brydferth wedi'r cwbwl.

Agorodd rai o'r dreiriau. Teits, sanau, nicers. Tynnodd ddrôr arall allan ac fe gododd persawr rhywun oddi ar y dillad oddi mewn. Gwasgodd ei gwyneb yn agos at y dillad. Siwmperi, blowsys, a'r rheiny'n rhai drud. Roedd ganddi chwaeth, roedd Mair yn sicr o hynny. Caeodd y drôr. Doedd dim llythyrau yma. Dim cwpwrdd wrth y gwely. Dim dyddiadur ar gadair. Sefodd Mair am eiliad er mwyn gallu mwynhau'r olygfa a welai ei mam bob bore pan fyddai hi'n codi. Sylwodd ar farciau lle'r oedd y ddolen. Ôl bysedd rhywun wedi bod yn agor y ffenest. Edrychodd arnyn nhw am yn hir cyn gwasgu'i bys arnyn nhw. Clywai Mo'n symud i lawr y grisiau.

Symudodd i'r stafell nesa. Stafell sbâr a blodau ffres wedi crino yn y ffenest. Roedd y celfi'n chwaethus ac yn wag erbyn hyn. Caeodd y drws. Agorodd y drws ola – drws y stafell wely leiaf, a rhewodd. Ar y gwely, roedd yna ddoli. Yn eistedd yno fel babi. Roedd llygaid tywyll ganddi. Cerddodd Mair tuag at y gwely ac estyn amdani. Heblaw am hon doedd dim sôn am blant yn y tŷ o gwbwl. Dim ond un ddoli. Edrychodd Mair arni am hydoedd.

'Mair! Mair!'

Neidiodd Mair wrth glywed llais Mo'n gweiddi. Daliodd yn y 'babi' a cherdded am y stâr.

'Beth?'

'Mair! Dere 'ma! Glou!' Roedd yna ryw daerineb yn ei llais.

Cyflymodd ei chalon a gwasgodd y ddoli i'w mynwes wrth gerdded yn gyflym i lawr y stâr. Cyrhaeddodd y gegin a'i hanadl yn brin. Roedd yna ddyn yn sefyll wrth y drws.

Edrychodd Mair ar Mo mewn penbleth.

'Ma'r dyn 'ma... cymydog... yn gofyn a o'n i'n mynd i'r

Cartref i weld y ledi o'dd yn arfer byw 'ma. Ise i ni roi carden iddi.'

Gafaelodd Mair yn dynnach am y 'babi'. Edrychodd Mo arni a'i llygaid yn fawr. 'Mair, ma hi'n dal yn fyw.'

R OEDD Y LLE'N LÂN ac yn glinigol ac wedi'i baentio mewn
lliwiau ysgafn. Amgylchynai'r gerddi y Cartref gyda
ffenestri anferth bob ochr iddo er mwyn i'r trigolion deimlo eu
bod yn rhan o'r byd y tu allan. Eisteddai Mo yn ei char wrth
y fynedfa'n smocio a chwlwm tyn yn ei stumog. Roedd Mair
wedi newid ei dillad ganwaith, yn meddwl y dylai hi edrych yn
ddeche, ac wedi cribo'i gwallt â chrib wlyb a defnyddio tamed
o *spray* arno. Meddyliodd, wrth iddi baratoi, tybed a fyddai hi'n
debyg i'w mam. Yn y diwedd dewisodd flowsen â llewys hir
i guddio'r creithiau ar ei breichiau – roedden nhw'n dal heb
wella'n iawn ar ôl crafiadau Nanw. Meddyliodd am brynu blodau
ond fe benderfynodd beidio. Eisteddodd ar ddihun drwy'r nos
yn meddwl, ac roedd hi'n sefyll ar stepen y drws pan ddoth Mo
i'w chasglu a'i bag yn barod yn ei llaw. Cerddodd at y dderbynfa.
Eisteddai nyrs ifanc y tu ôl i'r ddesg. Gwenodd.

Agorodd Mair ei cheg i siarad. Gwenodd y ferch yn
gefnogol.

''Yf fi… 'ma i weld…' Roedd hi bron â ffaelu dweud yr
enw.

'Pwy?'

'Mrs… Eunice… James.'

'Eunice?'

Nodiodd Mair a chlymu'i dwylo'n gwlwm. Edrychodd y nyrs
arni'n ansicr, ond yna lledodd gwên dros ei gwyneb ifanc.

''Na neis. Dyw hi ddim yn cal llawer o fisitors. Ma rhyw
gymydog yn dod i'w gweld ambell waith. Arwyddwch fan hyn,

os gwelwch chi fod yn dda.'

Cydiodd Mair yn y feiro a thynnu anadl hir mewn ymgais i geisio tawelu'i nerfau.

'Ffrind 'ych chi, ife?' gofynnodd y nyrs, gan ddangos ei dannedd gwynion.

Nodiodd Mair yn ara.

'Da iawn. Ma hi yn y *day room*. 'Ych chi wedi bod 'ma o'r blân?'

'Naddo.'

Edrychodd y nyrs ar ei henw.

'Af i â chi lawr nawr.' Oedodd am eiliad er mwyn darllen ei henw oddi ar y ffurflen – 'Mair.'

Dilynodd Mair y nyrs yn ara.

'Rhyngddoch chi a fi... jest i'ch paratoi chi. Ma hi wedi mynd 'bach yn ddidoreth yn ddiweddar. Wel, ers sawl blwyddyn a gweud y gwir. Roedd y nerfau'n gwasgu ar stumog Mair gan wneud iddi deimlo'n sâl.

'Druan â hi. Ma hi'n gofyn am ei merch o hyd ac o hyd. 'Yn ni wedi bod yn holi, wrth gwrs, ond sdim plant i gal 'da hi o gwbwl. Ma hi'n pallu'n deg â'n credu ni, ta faint o weithie wedwn ni wrthi.'

Stopiodd Mair yn stond, ei hwyneb yn welw.

'Mair? Ma'n ddrwg 'da fi'ch dychryn chi. O'n i jest isie i chi gal gwbod rhag ofan ceithech chi sioc. Pryd weloch chi Eunice ddiwetha?'

Ymbalfalodd Mair am eirie.

''Ych chi'n iawn? Licech chi lased bach o ddŵr?' holodd y nyrs.

Agorodd y drws o'u blaenau wrth i rywun gerdded trwyddo.

Gwelodd Mair gefn menyw mewn cader olwyn.

'Wi'm yn credu galla i...' Teimlai'n benysgafn. 'Dyw pethe ddim yn iawn...'

Roedd hi wedi dychmygu'r aduniad hwn ers pan oedd hi'n groten fach – fel arfer pan fyddai hi yn nyfnderoedd ei gweddïau. Pan oedd hi'n groten fach fe ddychmygai fod ei mam yn brydferth, wrth gwrs, ac yn glyfar ac yn gallu gwneud iddi chwerthin. Wrth iddi dyfu darluniai ei mam fel person gonest a charedig. Roedd hi wedi dychmygu ei bod hi'n bopeth yn y byd.

'Mair?' Daliodd y nyrs y drws ar agor. 'Dewch chi. Ma Eunice fan hyn.'

Camodd Mair ymlaen ychydig. Nesaodd at y drws yn ara bach. Roedd y stafell yn fawr ac yn ysgafn a llawnder rhosynnau ola'r haf i'w gweld yn gwasgu'u bochau ar hyd gwydr y ffenestri bob ochr. Pesychodd rhywun yn rhywle. Roedd yno deledu i'w glywed yn dawel yn y cefndir. Gwenodd y nyrs arni wrth iddi basio.

'Ma 'da chi hanner awr cyn amser cinio.'

Edrychodd Mair arni mewn penbleth. Pwyntiodd y nyrs ifanc at gefn y fenyw a eisteddai mewn cader olwyn wrth y ffenest cyn iddi droi a gadael y stafell. Edrychodd Mair ar ben golau'r hen wraig am dipyn. Roedd ei gwallt yn denau a'i hysgwyddau'n uchel ac yn frau. Roedd hi'n crynu hefyd. Fel petai rhywun wedi aflonyddu ar ei henaid – fel sy'n digwydd wrth gyffwrdd mewn dŵr llyn. Wrth i Mair syllu arni brysiodd hen ddyn heibio iddyn nhw. Camodd Mair ati gan chwilio am eiriau. Roedd yr hen wraig wedi ei gweld fel ysbryd yn adlewyrchiad y ffenest.

'Pwy 'ych chi?'

Stopiodd Mair yn stond. Yna, symudodd yn ofalus mewn hanner cylch o'i chwmpas. Edrychodd ar ei gwyneb,

'Chi'n hen... ' meddai wrth Mair. Edrychodd hithau arni mewn penbleth.

Roedd ei gwyneb yn union yr un siâp ag un Mair a'i llygaid dyfrllyd yn anodd eu darllen. Roedd hi'n ysgafn fel deryn ac wedi'i lapio mewn blanced wen.

'Steddwch... ' meddai hi wedyn gan bwyntio'n grynedig at stôl gerllaw. 'Dewch yn agosach... i fi gal 'ych gweld chi'n iawn. Ma hi'n neis cal fisitor...'

Roedd ei chroen yn sych a'i llais yn ddim ond sisial. Tynnodd Mair ei chader yn agosach ati. Roedd ganddyn nhw'r un dwylo hefyd.

'Shwt 'yf fi'n 'ych nabod chi, te?'

Suddodd calon Mair. Roedd ei llygaid fel pe baen nhw'n ei gwasgu.

'Ffrind,' cynigiodd Mair yn dawel.

'Bydd hi'n amser cinio cyn bo hir...'

'Bydd,' cytunodd Mair.

Roedd pen yr hen wraig yn nodio a hithau fel petai'n chwilio'r gorwel am rywbeth drwy'r amser.

'Drychwch ar y rhosys 'na,' meddai.

'On'd 'yn nhw'n bert.'

'Odyn.'

''Ych chi'n lico garddio?' mentrodd Mair ei holi.

'Odw i?'

'Wel, odych. Ma 'da chi ardd fowr gartre.'

Symudodd ei llygaid ar hyd wyneb Mair fel pe bai'n ceisio gwneud synnwyr o'r byd.

'Ces i'n magu ar ffarm,' meddai, wrth hel meddyliau'n uchel.

'Do fe?'

'Do. Lico blode a phethe… a lico rhedeg ar y gors. Mam yn mynd ychydig bach yn grac pan ddeithen i gatre wedi dwyno 'nillad. Blode can a llath ymhobman a Mam yn rhoi lla'th enwyn inni i'w yfed…'

Gwingodd Mair mewn hiraeth wrth glywed amdani hi'n blentyn gyda'i mam.

'Edrych yn debyg i rywun?' gofynnodd gan droi ei llygaid ac edrych yn ofalus ar wyneb Mair.

Nodiodd Mair, ond heb ymateb i'w geiriau.

'Chi'n edrych yn gyfarwydd.'

Roedd y cryndod yn ei chorff yn gwaethygu. Trodd ei llygaid oddi ar wyneb Mair yn ôl at ei dwylo.

''Yf fi'n ffaelu'n deg â stopo crynu,' meddai hi. 'Fel hyn 'yf fi drwy'r dydd.'

'Ma'n ddrwg da fi…'

'Sdim isie i chi deimlo'n ddrwg. Fel'na ma pethe – ffaelu'n deg â dala llyfre yn fy llaw nawr. O'n i'n arfer lico darllen 'fyd.'

Ysgafnhaodd wyneb Mair. Pwysodd yr hen wraig ymlaen nes bod gwynebau'r ddwy yn agos at ei gilydd. Dechreuodd calon Mair guro'n boenus.

'Ond rhyngddoch chi a fi… ma trinieth sioc drydan yn gneud i rywun anghofio pethe.'

Eisteddodd hi'n ôl a wincio ar Mair gan chwerthin. Buodd y ddwy wedyn yn eistedd am amser hir yn gwylio'r blodau drwy'r ffenest.

'Ma'r ferch yn lico darllen 'fyd.'

Edrychodd Mair arni'n sydyn.

'Ma hi'n fisi iawn – athrawes yw hi.'

Rhoddodd Mair ei llaw ar fraich ei stôl.

'Rhy brysur o lawer i ddod i 'ngweld i 'fyd. Dou o blant 'da hi a gŵr yn gweithio yn y banc. Ma hi'n byw yn y dre. Tŷ neis ofnadw 'da nhw. 'Sdim taro arnyn nhw o gwbwl...'

Teimlai Mair y wasgfa gyfarwydd yn ei gwddw. Meddyliodd sut y gwnaeth hi ddisgrifio ei mam i Dafydd y diwrnod hwnnw ar y traeth.

'Fi wedi blino nawr.'

Cododd Mair ei phen a thynnu'i llaw yn ôl.

'Ma hi'n amser cino, bwti bod...'

'Odi...' meddai Mair.

'Cerwch chi nawr te...' meddai hi eto. Troiodd ei llygaid ati a disgwyl iddi adael.

'O, 'na fe te... ' meddai Mair gan edrych i lawr.

Cododd Mair yn ansicr a'i gwylio am funud. Roedd y crynu'n waeth. Troiodd i adael. Wrth iddi droi, fe gododd Eunice ei llaw a chydio yn llaw Mair. 'Pan ddewch chi 'to... dewch â lla'th enwyn 'da chi, wnewch chi?'

Edrychodd Mair i mewn i'w llygaid cyfarwydd. ''Naf wrth gwrs.'

Gollyngodd ei mam ei llaw. Edrychodd heibio iddi i gyfeiriad y golau mawr a oleuai'r stafell.

'On'd yw'r lleuad yn gryf heno?'

'Odi...' atebodd Mair gan wenu.

Symudodd Mair oddi wrthi a throdd Eunice i edrych ar y blodau'n dechrau colli eu petalau ar hyd y lawnt.

Gwthiodd Mair drwy'r drws a cherdded yn ara ar hyd y coridor. Daeth sŵn paratoi bwyd o'r gegin. Gwenodd y nyrs arni o'r dderbynfa.

'Popeth yn iawn?'

Gwenodd Mair yn ôl arni. Doedd ganddi ddim dagrau ar ôl wrth iddi wthio'i ffordd trwy'r drysau.

'Welwn ni chi to,' meddai'r nyrs cyn troi ei sylw at ryw waith papur.

Cerddodd Mair at gar Mo. Taniodd honno'r injan gan wybod y byddai'n well peidio holi Mair am sbel. Gyrrodd y ddwy allan drwy'r giât a throiodd Mair yn ôl i edrych ar y ffenest fawr. Yno roedd ei mam yn dal i chwilio am y gorwel drwy rosynnau olaf yr haf.

CAFODD DIPYN O FFWDAN wrth ddatgymalu'r caets. Roedd y sgriws wedi rhydu i gyd a'r rheiny'n stiff. Byddai'n rhaid tynnu bariau'r drws i ffwrdd oddi ar y ffrâm bob yn un. Erbyn hyn rhoisai'r hen weirles ar y silff ben tân, er mwyn llenwi'r tawelwch pan fyddai hi'n eistedd yno gyda'r nos. Roedd yr emrallt gyda'r gemydd yn y dre yn cael ei gosod ar fodrwy, a Mair ar bigau'r drain.

Roedd hi wedi bod yn meddwl am ei mam ers oriau, a rhyw anniddigrwydd rhyfedd yn codi yn ei brest bob tro y meddyliai amdani. Nawr, pan allai hi a'i mam ddod at ei gilydd, roedd hi wedi dechrau ffwndro. Roedd synnwyr cyffredin yn dweud wrthi na allai ddal dig am hynny; beth bynnag, roedd Mair yn gorfod gwneud rhywbeth i'w chadw'n brysur er mwyn meddwl am rywbeth arall. Troiodd sgriw yng ngholyn drws y caets a'i dynnu'n rhydd yn ara bach, ond gan ei fod mor dynn bu'n rhaid i Mair dynnu ar y drws i'w lacio.

Gwelodd olau car yn llifo ar hyd yr hewl. Stopiodd y cerbyd o flaen y tŷ. Symudodd Mair at y ffenest ac edrych mas. Dafydd. Neidiodd allan o'r car a golwg wyllt ar ei wyneb. Cydiodd yn nolen drws cefn y car a'i thynnu. Cwmpodd pen Sara a fu'n pwyso yn erbyn drws y car gan ddisgyn i mewn i freichiau Dafydd. Lledodd llygaid Mair a rhedodd at y drws i'w agor.

Cariodd Dafydd ei fam i fyny'r llwybr a'i lygaid yn llawn ofn. Gwthiodd heibio i Mair a'i chario tuag at y gwely gan ei gollwng i lawr yn ara bach. Edrychodd Mair arno mewn syndod.

'Dw i ddim yn gallu'i dihuno hi,' meddai gan symud ei bwyse

o un droed i'r llall. Daliai ei ddwylo o'i flaen fel petai'n erfyn am gymorth. Edrychodd ar Mair. 'O'n i ddim yn gwbod be i neud…'

Edrychodd Mair ar ei chorff llipa. Roedd ei gwyneb yn welw a'i gwefusau'n dywyll.

Aeth i feddwl am gorff tad Dafydd pan gyrhaeddodd at y car wedi'r ddamwain. Cofiodd am wyneb Dafydd bryd hynny hefyd yn edrych i fyny arni gan ymbil am gymorth.

'Mana!' erfyniodd Dafydd ar Mair gan anadlu'n drwm. 'Plîs!'

Closiodd Mair tuag ati. Roedd hi'n drewi o gwrw. Doedd hi'n amlwg ddim wedi bwyta ers amser. Plygodd Mair drosti a gwrando ar ei hanadlu. Roedd hwnnw'n fas a'i llygaid yn rowlio yn ei phen.

'Sara… Ti'n 'y nghlywed i?' Siglodd Mair hi gerfydd ei hysgwyddau.

'Sa i'n gwbod beth i neud,' meddai Dafydd gan facio'n ôl tuag at y ffenest. 'Falle'i bod hi 'di cymryd rhywbeth.'

'Sara!' Slapiodd ei boch â chledr ei llaw. 'Sara!'

Daeth rhyw sŵn o'i chrombil.

'Ma isie i ni gal y gwenwyn 'na mas ohoni hi… Ers faint ma hi fel hyn?'

Sefai Dafydd yno'n hollol ddiymadferth. Tynnodd Mair ei chorff llipa at erchwyn y gwely a'i throi ar ei hochor. Roedd ei chroen yn chwyslyd.

Edrychodd Mair ar Dafydd. 'Cer i moyn padell, grwt! Yn glou!'

Rhuthrodd Dafydd i'r gegin, yna rhoi'r badell ar y llawr o flaen ei fam. Agorodd Mair ei cheg ag un llaw a gwthio'i bysedd i lawr ei gwddf gan wasgu ar y mannau meddal. Doedd dim rhaid iddi aros yn hir. Teimlai symudiad yng nghorff Sara, yna arllwysodd y budreddi allan yn dywyll i'r badell. Tagodd am eiliad a pheswch. Llifai'r hylif allan o'i cheg ond doedd ynddo ddim olion bwyd o gwbwl.

Closiodd Dafydd ati. 'Mam?'

Agorodd a chaeodd Sara ei llygaid am rai munudau gan geisio gweld llun clir o'i mab.

'Mam?'

Buodd hi'n sâl unwaith eto. Rhwbiodd Mair ei chefn.

'Mam?'

'Cer i moyn dŵr twym a fflanel a diferyn bach o ddŵr oer iddi i'w yfed.' Edrychodd Dafydd ar Mair cyn ufuddhau.

Roedd hi'n anadlu'n drwm a golchodd Mair ei cheg a'i gwyneb gan edrych arni'n gymysglyd ei meddwl. Gwyliai Dafydd y cyfan yn dawel. Rhoddodd ychydig o ddŵr iddi i'w yfed gan ddal ei phen fel plentyn wrth roi'r cwpan rhwng ei gwefusau. Yna, aeth Mair â'r badell i'r cefn gan arllwys yr hylif i'r gwter yn yr ardd gefn. Dychwelodd i'r stafell wely. Erbyn hynny roedd Dafydd yn eistedd wrth y gwely ar bwys ei fam. Roedd Sara wedi codi'i llaw ac yn chwarae â'r gwallt o gwmpas ei wyneb. Sefodd Mair wrth y drws yn y cysgodion gan wylio'r ddau am eiliad a'i chalon yn gwegian wrth weld y cwlwm rhyngddyn nhw. Meddyliodd am ddwylo ei mam hi ei hunan. Edrychodd Sara arni'n sefyll wrth y drws a chododd Dafydd ar ei draed wrth ei chlywed hi'n dod 'nôl.

'Galli di fynd nawr,' meddai Mair wrtho.

'Ond…'

'Bydd angen hoe fach arni hi.'

Nodiodd Dafydd gan ddal i edrych ar ei fam. Gwenodd Sara arno.

'Bydda i 'nôl…'

'Bydd hi'n well erbyn y bore.'

Dilynodd Mair ef allan at garreg y drws. Troiodd yntau i'w gwynebu ac edrych arni'n ddiolchgar cyn llithro allan i'r tywyllwch…

Troiodd Mair a mynd yn ôl i'r stafell wely. Gwyliodd hi Sara am ychydig yn ceisio syrthio i gysgu ar y gwely bach.

Edrychodd ar Mair a'i llygaid yn hanner cau.

'Diolch…'

Codi tywel oddi ar y llawr a'i roi i hongian ar bwys y lle tân wnaeth Mair ac osgoi edrych arni. Cydiodd yn y gwydryn dŵr a'i estyn iddi. Aeth i'r gegin i chwilio am docyn o fara. Gwasgarodd y menyn yn dew drosto cyn mynd yn ôl ac eistedd ar echwyn y gwely er mwyn ei bwydo'n dawel.

'Fe lyncith hwn unrhyw beth sydd ar ôl mewn 'na…' meddai wrth Sara.

Roedd y croen ar wyneb Sara'n dynn.

'Ma'r crwt 'na'n gweld pethe na ddyle fe.'

'Ot ti'n ei garu fe 'yn dot ti?' gofynnodd Sara gan adael i'w holl bwysau ymlacio'n ôl ar y gwely.

'Sdim ots nawr…' oedd unig ymateb Mair cyn mynd i eistedd wrth y caets gwag.

Roedd y lliw'n dechrau dod yn ôl i fochau Sara. 'O's, ma ots…' meddai.

Edrychodd Mair arni.

'Fyddet ti wedi'i garu fe'n well na fi…' Edrychai ei llygaid yn glwyfedig wrth iddi wneud y cyfaddefiad.

'Do'n i ddim yn ei garu fe fel rwyt ti'n ei feddwl, dim fel ro't ti… do'n i ddim isie mynd ag e oddi wrthot ti…'

Gorweddodd Sara'n dawel.

'Creda di beth fynnot ti,' meddai Mair eto, 'dim ond fel brawd o'n i'n 'i garu fe... o'n ni'n deall ein gilydd... gwbod beth o'dd y llall yn 'i feddwl... siarad am yr un pethe.'

Gorweddai Sara'n dawel gan wasgu'r dagrau a dreiglai drwy ochr ei llygaid ac i lawr ei bochau. Edrychodd Mair arni.

'Dw i erioed wedi caru neb ond fel brawd... Dw i ddim wedi galler...' Roedd y geiriau'n atseinio ac yn canu ym mariau'r caets. 'Wyt... wyt ti erioed wedi... teimlo'n hollol ar goll... Yna, cael rhyddhad wrth i rywun ddod a bod yn angor i ti?'

Agorodd Sara ei llygaid. Gwenodd. Bu tad Dafydd yn angor iddi hithau hefyd. Roedd golwg pell i ffwrdd yn llygaid Mair a'i gwyneb yn edrych yn hynach nag arfer. Edrychodd Sara arni go iawn. Doedd hi ddim wedi galler gwneud erioed cyn hynny. Dangosai ei thalcen ôl llinellau ac roedd ei llygaid dyfnion, tywyll yn eistedd yn ddwfn yn ei phen. Suddodd Sara yn y gwely a'r blinder yn rhwygo'i chorff.

'O'n i'n ffaelu â chredu pan weles i fe'r tro cynta. 'Run sbit yn gwmws â fi...' Cwympodd pen Mair wrth gofio. 'Ma'n ddrwg 'da fi...' Llifai dagrau trymion Mair i lawr ei bochau.

Roedd gwallt Sara'n dal i hongian yn wlyb o gwmpas ei gwyneb. Estynnodd law tuag at Mair i'w chysuro.

'Pan weles i'r ddamwen... pan ddes i o hyd i'r car... pan ffindies i nhw, roedd y ddau yn dal yn fyw. Fe redes i at 'i dad, ond ro'dd 'i goese fe'n sownd... o'dd hi'n rhy hwyr wedyn...'

Closiodd Mair a chydio yn ei llaw. 'Do'n i ddim yn ddigon cryf i'w ryddhau fe, ac ar ôl eiliad... o'dd e wedi mynd... wedi cau'i lyged... Dim ond llwyddo i dynnu Dafydd mas 'nes i.'

Roedd llygaid Mair yn ail-fyw'r erchylltra, fel y byddai hi'n wneud yn aml. Doedd hi ddim yn siŵr a oedd Sara'n cysgu neu beidio. Caeodd Mair ei llygaid wrth feddwl am ei wyneb a llosgai ei gwyneb hithau mewn gwarth. 'Gofynnodd e i fi edrych ar 'ych ôl chi…'

Gorffwysodd Mair ei phen wrth ochr Sara am amser hir a'r dagrau'n dal i lifo. Roedd meddyliau'r ddwy yn ôl yn ail-fyw'r un noson. Cododd Sara ei llaw a'i gosod yn ysgafn ar ben Mair. Teimlodd hithau'r cyffyrddiad tyner yn y tywyllwch. Cofiodd am wylio'i thad yn bendithio'r holl blant eraill yn yr eglwys. Roedd llaw Sara'n gynnes ar ei gwallt ac yn y gwyll, a heb i neb yngan gair fe deimlai Mair fendith ei maddeuant.

PENNOD 33

FE ADAWODD SARA AR ôl brecwast. Roedd Mair wedi cwympo
i gysgu yn y gadair a blanced drosti, ac er na fyddai hi erioed
wedi dychmygu hynny roedd hi wedi mwynhau ei chwmni.
Bwytodd y ddwy wy wedi'i ferwi wrth y bwrdd amser brecwast
ac roedd Mair wedi rhoi benthyg siwmper i Sara gan fod ei
siwmper hi'n frwnt. Ar ôl iddi adael, edrychodd Mair ar yr hen
gaets a phenderfynu'i dynnu'n grwn allan i'r ardd o flaen y tŷ.
Roedd ei dynnu'n ddarnau'n cymryd gormod o amser, ac roedd
ei weld bob dydd yn dechrau gwasgu arni. Gwisgodd ei hen
ddillad a'i hen sgidiau caled cyn dechrau ar y gwaith. Codai'r
leino'n gwrlyn oddi tano wrth ei lusgo, ond llwyddodd i'w
symud yn ara bach. Roedd hi'n gryfach y diwrnodau 'ma gan
ei bod yn cysgu'n llawer gwell. Ar ôl iddi lwyddo i'w gael dros
ricyn y drws fe'i gwthiodd yn ei hyd i ganol y lawnt.

Edrychodd Mair o'i chwmpas a thynnu anadl hir wrth wylio
niwl yr hydref yn gwau drwy'r cloddiau. Roedd y dail yn wlyb
ac yn slic a'u lliw wedi dechrau troi. Aeth yn ôl i mewn i'r tŷ
gan dynnu bocseidi o fflwcsach o'r coridor a mynd â rheiny allan
hefyd. Roedd ganddi lwyth erbyn hyn ac yn dechrau cael blas
ar y gwaith. Fe aeth i'r stafell orau a thynnu rhai o'r bocseidi o
lythyrau a phapurau roedd hi wedi'u casglu o wahanol dai a'u
cario allan. Cydiodd yn hen gwdyn yn llawn o deganau Nanw
wrth y drws a'i daflu ar ben y pentwr. Rhedai rhyw gynnwrf
trwy'i chorff a theimlai'r rhyddhad rhyfedda. Aeth i'r stafell wely
a lluchio'r lluniau oddi ar y silff ben tân i gyd i mewn i sach
ddu, y fframiau a'r cwbwl, cyn eu cario mas. Cydiodd ym mhob

llun a llythyr, gwacaodd pob bocs a phob drôr. Cododd gwdyn llythyron y dyn tawel a'u taflu ar y twmpath ar y lawnt. Crynai'r papurau yn yr awel. Fe blygodd a chydio yn y sach o hen flancedi Nanw a thaflu hwnnw ar y pentwr. Serch honno, cododd y ddau focs lluniau'n ofalus, a'u gosod ar y gwely.

Aeth i'r stafell orau a llusgo pob atgof o bob twll a chornel. Casglodd y lluniau oddi ar y welydd a gwacáu pob bocs. Agorodd y bocs teganau a thynnu oddi yno'r rhacsyn gwyn a fuodd yn amddiffyn ac yn cuddio'r emrallt am gymaint o amser. Agorodd ef, gan edrych ar y siwt fach wen − y siwt hon roedd hi'n ei gwisgo pan gafodd ei gadael yn fabi ar stepen y drws. Er ei bod hi'n noson o haf bryd hynny, mae'n rhaid ei bod hi wedi rhynnu yn y wisg fach wen − gwisg a oedd bellach yn cwympo'n ddarnau yn ei bysedd. Rhowliodd y defnydd yn ei dwrn a'i gario allan gan ei ychwanegu at y pentwr. Gwacaodd pob bribsyn o'r bwthyn bach a thynnu'i berfedd allan i'r golau i orwedd yn noeth ynghanol y lawnt. Edrychodd ar y twmpath mawr am amser hir − y pethau a fu'n llenwi ei bywyd am gyfnod mor faith. Gwynebau a oedd wedi bod yn rhan o'i bywyd bob dydd. Pob llythyr cyfarwydd, pob arwydd o fywyd a fu'n cadw cwmni iddi. Pob enaid roedd hi wedi ei gario gyda hi. Aeth yn ôl i'r tŷ a thynnu'r Beibl Mawr i lawr i'w chôl. Roedd hi'n gwybod yr adnodau ar ei chof. Cariodd ei bwysau trwm at y pentwr a'i wasgu i lawr ar ben yr holl lythyron. Aeth yn ôl i'r tŷ a chydio yn y bocs matsys.

Sefodd yn wynebu'r pentwr a rhythu arno am yn hir cyn crafu'r fatsien ar hyd y bocs. Rhoddodd law dros y fflam i'w hamddiffyn rhag yr awel a'i gosod yn dwt ynghanol yr holl bapurach. Cynnodd rheiny'n gyflym a gwyliodd Mair y geiriau bach yn duo ac yna'n diflannu o dan y fflamau. Cwrlodd y papurau a dechreuodd swigod godi ar yr wynebau du a gwyn cyn i'r lluniau ddiflannu. Cydiodd y fflamau'n gyflym wrth i'r gwynt siglo'r goelcerth. Roedd ei chalon ar dân erbyn hyn a gwres dychrynllyd yn codi o'r pentwr yn yr awyr llaith.

Cerddodd yn ôl i'r tŷ ac edrych ar y ddau focs a gadwyd mor ofalus gan eu perchnogion. Cydiodd yn y ddau gan ryfeddu pa mor ysgafn oedd yr atgofion a fu'n pwyso mor drwm ar fywyd dau. Agorodd y bocsys a chodi'r lluniau gan edrych arnyn nhw'n unigol cyn eu gosod i bwyso un wrth un ar bwys ei gilydd ar hyd y silff ben tân. Cododd y bocsys gwag a'u cario allan. Taflodd nhw ar y tân, ac wrth iddi wneud fe gododd yr awel a chipio rhai o'r papurau, a hwythai'n dal i losgi, gan eu codi fel haid o wylanod i'r awyr lwyd. Edrychai eu gwyn yn llachar yn erbyn y mwg du wrth iddyn nhw lawio'n ôl i freichiau'r tân a chael eu llyncu gan y fflamau.

Sefodd Mair yn gwylio gan wrando ar ambell ffrâm wydr yn torri'n deilchion yn y gwres a budreddi du yn nadreddu ar hyd yr wynebau cyfarwydd. Dechreuodd chwerthin, a'i hysbryd yn codi'n ysgafn gyda'r gwreichion i'r awyr. Dawnsiai ei gwên yn y fflamau a'r gwres yn tynnu dŵr i'w llygaid.

Codai mwg brwnt oddi ar yr holl atgofion a chwyrlïo'n dew yn yr awyr. Daeth blas cas i geg Mair a'r mwg yn dal cefn ei gwddwg. Roedd ei llygaid hi'n ddyfrllyd a'r gwres yn llosgi'i gwyneb. Rhoddodd law dros ei cheg a pheswch cyn dechrau anadlu trwy lawes ei siwmper.

Ara fu'r llyfrau cyn llosgi. Glynai'r tudalennau'n glòs wrth ei gilydd a'r meddyliau rhywffordd yn ddwysach ynddyn nhw. Cydiodd Mair mewn brigyn a phrocio'r cyfrolau er mwyn eu hagor. Gadawodd aer i mewn i ganol y tudalennau a'u gwylio nhw'n fflamio. Doedd hi ddim eisiau penodau ar ôl heb eu llosgi. Roedd hi am gael gwared ar y cyfan. Agorodd bob llyfr, gwasgarodd bob llythyr, chwalodd bob llun â blaen y brigyn. Torrodd y Beibl Mawr yn ddarnau gan wylio'r aur o amgylch y tudalennau'n tanio'n ffyrnig yn y fflamau. Crinodd y groes ar y clawr a syllodd Mair ar yr adnodau'n diflannu ac yn troi'n fwg wrth godi i freichiau'r awel.

Sefodd yno'n twtio'r tân nes bod popeth wedi troi'n lludw heb adael dim byd ar ôl. Roedd y mwg yn dal yn dew ac yn codi'n golofn front uwchben y bwthyn. Gorweddai bariau'r caets fel esgyrn du yng nghanol y llwydni, a'r parddu yn y mwg wedi duo blaen y bwthyn bach.

Fflachiodd y tân yn y golau mwyn gan ddifa pob dim yn y goelcerth yn ulw. Llaciodd ysgwyddau Mair wrth weld y lludw'n bentwr o bowdwr golau, ysgafn o'i blaen. Wrth i'r fflamau orffen eu gwledda mewn syrffed, syllodd Mair arnyn nhw'n gwanhau cyn diflannu. Teimlai'n ansicr yn sydyn wrth i wres y lludw ei gadael yn teimlo'n wag. Roedd ei dillad a'i gwallt yn drewi o fwg a'i gwên yn llonydd.

Camodd a cherdded o gwmpas y tân ac i mewn i'r tŷ gwag. Llenwodd fasn â dŵr a gollwng sawl fflanel i'w ganol, cyn tynnu'i dillad myglyd. Sefodd yn y gegin yn molchyd. Molchodd bob rhan o'i chorff, ei choesau a than ei breichiau. Gwasgodd y fflanel gwlyb ar ei gwar ac ar ei gwyneb. Cododd ddŵr yn ei dwylo fel cwpan a gadael iddo ddiferu ar hyd ei chroen nes bod pob tamed ohoni'n wlyb ac yn oer. Golchodd ei llygaid a cheisio lleddfu'r cochni a adawyd yno gan y mwg. Cododd ddŵr ar hyd ei choesau gan adael iddo ddiferu i lawr a rhedeg ar hyd y llawr. Roedd hi'n wlyb dan draed erbyn hyn a'i chroen yn crynu fel baban newyddanedig. Gwlychodd ei gwallt dros y sinc fel petai'n bedyddio ei hun a gadael i'r dŵr lifo dros ei thalcen a'i phen. Sefodd yno am eiliad yn crynu gan wylio mwg yr atgofion yn gwasgaru yn yr awyr hwyr.

Yfodd wydraid ar ôl gwydraid o ddŵr oer mewn ymdrech i gael gwared ar y blas cas yn ei cheg. Yfodd yn ddwfn nes bod ei bol yn dynn. Sychodd ei cheg â chefn ei llaw. Roedd y gwreichion olaf wedi diflannu. Ac yna, ar ôl cael gwared ar bob tamed o staen y tân, fe sychodd ei hun â thywel caled. Gwisgodd ddillad glân a rhoi'r lleill ar y llawr ar bwys y sinc yn barod i'w golchi. Berwodd y tegyl a gwnaeth gwpaned o de, ac er na fydde hi fel arfer yn cymryd siwgwr fe roddodd ddwy lwyed ynddi y tro hwn, a'i droi.

Cerddodd at y drws mas a'i gau. Aeth i eistedd ger y ffenest. Roedd y gadair yn ffitio'n dwt yno erbyn hyn wedi iddi symud y caets mawr. Eisteddodd yno am yn hir, yn edrych ar y patshyn du ar ganol y borfa. Edrychai draw bob hyn a hyn ar y lluniau unig ar y silff ben tân. Roedd hi'n oeri fel y gellid disgwyl yr adeg hyn o'r flwyddyn, wrth i'r dydd ddechrau tynnu'i gwt ato. Roedd ei meddyliau'n chwarae ar y welydd gweigion gan swnio'n uchel, rhywffordd, yn y bwthyn bach gwag. Cyn hynny byddai'r llwythi o bethau a fu ganddi yn y tŷ wedi mwfflo pob swnyn, wedi mogi pob synnwyr, ond heno gallai glywed popeth. Gwrandawodd am yn hir a'i chroen yn sgleinio'n ifanc wrth wylio'r dydd yn dod i ben gan feddwl am y bilidowcar hwnnw a welodd hi unwaith yn syllu'n unig allan tuag at y môr.

Pennod 34

ROEDD EIRWYN WEDI BOD yn cribo trwy'r gwymon ar y traeth ers oriau a'i sach yn pwdu yn y tywod gerllaw. Er bod y môr yn annaturiol o dawel, fe deimlai'n sicr y byddai e'n dod o hyd i rywbeth o ddiddordeb yn cuddio ymysg y gwastraff. Aeth ei symudiadau'n fwy taer ac fe aeth hyd yn oed ar ei bengliniau i chwilio.

Cerddai Mair ar y traeth gan gamu am y tro cyntaf erioed drwy'r tonnau bas oedd yn llyfu'r lan. Doedd hi ddim wedi galler gweddïo ers iddi foddi Nanw ac roedd y tŷ fel petai'n mynd yn oerach bob dydd. Buodd rhaid iddi hi dreulio mwy a mwy o amser ar gered yn lle bod yno ar ei phen ei hun. Gwisgai'r fodrwy emrallt ar ei bys bellach ac edrychai arni bob nawr ac yn y man gan deimlo rhyw gysur rhyfedd wrth ei gweld. Sylwodd Eirwyn ddim arni'n cyrraedd o gwbwl gan fod ei holl sylw e ar y darn o draeth o gwmpas ei draed.

Cododd ei ben yn sydyn ac edrych arni, ei lewys wedi'u rowlio i fyny a cherrig bach duon yn blastar ar ei groen gwyn. Roedd rhyw wylltineb yn ei lygaid na welodd Mair erioed mohono o'r blaen. Gwenodd hi arno. Edrychodd yntau ar ei ddillad am eiliad cyn dechrau codi. Roedd pengliniau ei drowser cords yn wlyb i gyd.

'Unrhyw lwc?'

'Na... sdim byd i gal 'ma. 'Yf fi wedi bod lan a lawr sawl gwaith... sdim golwg o ddim byd...'

Roedd ei lygaid yn gwibio'n ôl ac ymlaen. 'Ma 'na rwbeth fel arfer...'

Sylwodd Mair fod ei fysedd yn gytiau mân drostyn nhw.

'Ma'ch dwylo chi…'

Edrychodd Eirwyn arnyn nhw'n ddiamynedd. 'Dim byd… ma 'na wastad rywbeth… 'yf fi ffaelu'n deg â deall…' Edrychai'n ôl ar hyd y traeth.

Edrychodd Mair allan ar y môr am eiliad. 'Ma'r môr yn edrych yn wan heddi… sdim digon o nerth 'dag e i dowlu dim byd ar y lan…'

'Ond ma hi wastad yn hala rhwbeth ata i,' meddai yntau'n siarp.

Edrychodd Mair arno mewn syndod.

'Wastad yn hala rhywbeth…' Crwydrodd llygaid Eirwyn yn ôl at Mair. 'Ma… ma'n ddrwg 'da fi…'

'Dim o gwbwl. 'Na i adel i chi fod…' Troiodd Mair ei chefn a'i bochau'n llosgi.

'Mair… plîs…'

Troiodd i'w wynebu unwaith eto. Roedd e'n edrych yn ddierth. Cripiodd rhyw siom trwy ei chorff. Tawelodd yntau ac edrych ar y sach wrth ei draed.

'Ma… ma hi wastad yn hala rhywbeth ata i…'

Teimlodd Mair awel fach yn codi ar ei gwyneb.

'O'n… o'n ni'n dou yn dod 'ma'n amal… bron bob dydd.' Roedd ei lygaid mewn rhyw fyd arall. 'O'dd hi wrth ei bodd… a wedodd hi pan o'dd hi'n sâl… wedodd hi y bydde hi wastad 'ma…'

Chwyrlïodd y gwynt yn y gwagle rhyngddyn nhw am eiliad. Llyncodd Eirwyn ei boer. Roedd ei lygaid yn llawn. 'A phan ddes i lawr 'ma'r bore cynta… ro'dd cwpan 'ma… cwpan bach wedi torri.'

Edrychodd Mair arno mewn penbleth.

'Noson pan…' ffaelodd â dweud y geiriau, 'fe adawes i gwpan gwmpo.'

Camodd Mair tuag ato gan deimlo storom yn agosáu. Roedd yr awyr yn llyfn fel y môr a sŵn yn cario ymhell.

'Ma hi'n hala neges yn amal… ond,' edrychodd o'i gwmpas mewn gwylltineb, 'ond… sdim byd i gal 'ma heddi.' Roedd ei wyneb yn tywyllu a'r rhychau'n amlwg yn ei fochau. 'Ma hi'n grac siŵr o fod. Dylen i fod wedi edrych ar 'i hôl hi'n well, Mair.'

Camodd Mair yn agosach eto gan deimlo rhywbeth yn newid y tu mewn iddi. Sefai a'i freichiau'n hongian yn llipa wrth ei ochr, ei ysgwyddau'n grwm a'r dagrau'n disgyn.

Cydiodd Mair ynddo ond llithrodd o'i gafel a disgyn ar ei bengliniau. Pengliniodd hithau hefyd, yng nghanol y gwymon. Cydiodd Eirwyn yng ngwyneb Mair â'i ddwy law.

'A nawr… sdim golwg ohoni.'

Chwerthodd yr ewyn ar hyd y tonnau cyn diflannu'n ôl i'r môr. Edrychodd Eirwyn yn hir i mewn i wyneb Mair cyn iddi blygu ac eistedd ar y llawr ar ei bwys. Eisteddodd yntau hefyd a'r ddau'n gwrando ar y graean yn crensian yn y tonnau.

Rhoddodd Eirwyn ei ben yng nghôl Mair a llefen. Gosododd hithau law ar ei ben a gadael i'w ddagrau ddiferu. Yn wahanol i lawer o bobol doedd ar Mair ddim ofn dagrau. Roedd hi'n ffaelu'n deg â deall pobol fydda'i gwneud cwpaned o de i oedolion er mwyn eu stopio rhag llefen ac yn gwthio switsen i geg blentyn ar ôl iddo gael twmlad fel na fydde fe'n gollwng deigryn. Roedd ar nifer o bobl ofn llefen. Doedd pobl ddim yn sylweddoli bod llefen yn rhan o'r broses o wella, yn rhan o gael gwared ar y drwg. Pallodd y dagrau yn y diwedd a syllodd Eirwyn ar y gorwel a'i feddwl ymhell. Daliodd Mair ei ben gan deimlo'n fwy unig nag erioed o'r blaen ac eisteddodd y ddau am amser hir ynghanol gweddillion y môr.

PENNOD 35

Tynnodd Mo a Mair y dillad oedd ar ôl oddi ar y silff yng nghefn y stondin. Roedd Dai'n cael smôc wrth fynedfa'r farced a'r fan yn barod ganddo i glirio holl stoc Mair. Byddai'n rhannu'r stafell fach yn y stordy gyda phethau Mo am nawr, nes eithen nhw â'r dillad i ocsiwn. Doedd dim llawer o stondinwyr ar ôl a fawr neb yn dod yno i brynu. Roedd y farced wedi torri'i chalon a'r neuadd fawr yn dawel am y tro cynta ers blynyddoedd. Fyddai hyd yn oed Ieuan ddim yn dod yno bellach, ac roedd Ann Chips wedi cau'r caffi ac yn paratoi i symud i safle newydd. Ym mhen pella'r farced roedd stondin Dafydd ar gau ac wedi'i chloi. Roedd rhai o ferched y becws yn dal i yfed te wrth eu stondin a'r bara roedden nhw'n ei werthu mor ffres ag erioed. Wrthi'n helpu i glirio stondin Mair roedd Mo'n osgoi edrych ar ei stondin hi nesa ati – bellach roedd clo trwm yn hongian wrth ddolen y drws. Gwenodd yn dawel pan welodd yr emrallt ar fys Mair.

Roedd yna dipyn o bethau ar ôl – parau o fenig a bagiau heb eu gwerthu. Roedd yna emwaith hefyd – darnau aur ac arian y byddai'n anodd cael eu gwared mewn ocsiwn oherwydd nad oedd llawer o werth iddyn nhw mewn gwirionedd. Meddyliodd Mair y gallai hi eu gwerthu falle i ryw ddeliwr bach arall fel un lot. Cododd Mair y modrwyau, bob yn un, o'r cegau melfed a'u lapio mewn rholiau o ddefnydd du. Roedden nhw'n tincial ac yn canu. Cofiai o ble doth pob darn ac am bob stori oedd ynghlwm wrthyn nhw. Cariodd Dai focseidi o ddillad i'r fan a brwsiodd Mo'r llawr. Roedd gwynebau'r cameos yn gwenu'n dyner yn y melfed tywyll. Gwacaodd Mair y ces gwydr a chasglu cwpwl o

174

froetshys glas lliwgar er mwyn mynd â nhw i ferched y becws. Fe gafon nhw ddewis broetsh yr un ac roedden nhw'n ddiolchgar iawn i Mair am ei charedigrwydd. Roedden nhw'n amlwg wedi eu plesio.

Bellach roedd y ces yn wag a'r dillad a'r bagiau wedi'u clirio. Roedd y cribau gwallt wedi'u pacio a'r addurniadau oedd gan Mair ar y stondin wedi'u gosod mewn bocs. Fe gâi hi wared ar y rheiny'n ddigon hawdd. Yr unig beth oedd ar ôl, yn hongian uwchben y stondin, oedd rhes o swigod o wydr lliwgar. Roedden nhw wedi bod yno erioed yn bobio uwchben y stondin. Fe gafodd hi nhw gan longwr unwaith yn lle modrwy o aur syml. Fe wedodd ei bod hi'n anlwcus ofnadwy eu prynu ac yn anlwcus eu gwerthu. Dim ond eu cyfnewid am rywbeth arall oedd yn bosibl. Estynnodd Mair i fyny a dadfachu'r perlau gloyw. Roedden nhw'n lliwgar ac yn eithriadol o brydferth pan fydden nhw'n dal y golau. Roedd y gwydr yn drwchus, wedi'i chwythu â llaw, a'r swigod i fod i amddiffyn y perchennog rhag drwg ac anffawd. Gwenodd Mair arnyn nhw. Roedden nhw'n llwch i gyd. Glanhaodd un ohonyn nhw â chledr ei llaw.

Erbyn hyn roedd Dai a Mo wedi dod 'nôl o'r fan.

'Dim ond rhein sydd ar ôl…' meddai hi wrthyn nhw.

Gwenodd Mo ac estynnodd Mair y goleuadau gwydr iddi.

'Beth?'

'I chi…' meddai Mair gan wenu.

'O'n i'n meddwl bod rhaid i ti gal rhywbeth yn eu lle nhw. Wedest ti…'

Nodiodd Mair.

'Fe feddylia i am rywbeth, siŵr o fod.'

'Pob lwc, Mo.'

Edrychodd honno arni a'i phen ar dro. 'Ers pryd wyt ti'n

ofergoelus?' gofynnodd gan wincio a chymryd y perlau gwydr.

Gwenodd Mair yn ôl arni. Gadawodd yr allwedd ar y cownter tra bod Mo a Dai'n cario'r cawdel olaf i'r fan. Sefodd Mair am eiliad er mwyn edrych ar y stondin yn yr hwyr. Treiddiai'r haul gwan trwy'r ffenestri gan oleuo'r cesys gwydr. Dangosai'r golau bob brycheuyn ymhobman. Roedd ôl bysedd ar y gwydr, cannoedd ohonyn nhw, fel plu eira bach a mawr. Rhai a adawyd wrth i'w perchennog bwyntio at rywbeth yn y ces, rhai eraill wrth bobl orffwys yno a hwythe'n trio modrwy am fys. Roedd hanes y misoedd diwethaf i'w weld yno'n blaen. Gwenodd Mair gan wybod na fyddai hi'n eu glanhau.

Troiodd ei chefn a cherdded at y fynedfa. Cyn cyrraedd fe feddyliodd am Dafydd. Troidd yn ôl, a heb wybod pam fe gerddodd tuag at ei stondin am y tro olaf. Ar y stondin yma y cwrddodd hi â'i dad am y tro cyntaf a Dafydd yn hen un bach yng nghanol y bwrlwm i gyd. Dyma beth oedd ei fywyd. Byddai ei dad yn ei wisgo mewn cot wen a'r llewys wedi'u rholio i fyny ac yntau'n chwerthin. Gwenodd wrth feddwl amdanyn nhw. Fe dyfodd Dafydd i mewn i'r got. Roedd y stondin ar gau a phren wedi'i hoelio lle arferai Dafydd bwyso a siarad â'i gwsmeriaid. Edrychodd yn agosach. Llif o waed tywyll. Stopiodd ei chalon. Gwasgodd ei chlust yn erbyn y pren. Clywai sŵn rhywun yn symud. Cododd yr ofn yn donnau drosti.

'Dafydd? DAFYDD?!'

Daeth un o ferched y becws draw a rhedeg i mofyn help.

'Dafydd! Dafydd, ti sy 'na?'

Llifai'r y gwaed ymhellach o dan y drws a'i liw yn goch sgald. Teimlai Mair ei bod ar fin llewygu.

'Dafydd! Dafydd!'

Ciciodd y drws a halio wrth y ddolen ond roedd y drws ar glo.

'Plîs! Plîs! Help!'

Cyrhaeddodd Dai gyda baryn metel yn ei law. Roedd Mo'n ei ddilyn a chydiodd yn llaw Mair a'i thynnu'n ôl. Gwasgodd Dai'r baryn y tu ôl i'r clo a'i droi i'w dorri. Roedd merched y becws yn gwylio'r olygfa'n bryderus a'u dwylo dros eu cegau.

Pan agorwyd y drws, daethon nhw o hyd i Dafydd yn gorwedd yno ar y llawr. Doedd e ddim yn gwisgo crys, a gorweddai ei gorff ar siâp croes. Roedd ei gorff yn gytiau mân drosto a'r cyllyll yn sgleinio ar y llawr o'i gwmpas. Pistyllai'r gwaed o'i arddyrnau. Pengliniodd Mair yng nghanol y gwaed ar ei bwys. Roedd ei lygaid yn syllu arni a rhyw wên ryfedd ar ei wefusau. Yn dynn am ei wddf roedd y tsiaen a roddodd iddo fel anrheg pen-blwydd. Agorodd ei geg i geisio siarad.

'Mmm....'

Roedd ei nerth yn diflannu gyda'i waed.

'M... Mana...'

Pwysodd Mair drosto a'i llygaid bron â chyffwrdd ei rai e.

'*Shshshshsh*... bydd ddistaw cariad bach... gorffwysa di.'

Ceisiodd ynganu rhagor o eiriau ond fe gwmpon nhw'n drwm ymysg y gwaed cynnes.

'*Shshshshshshshsh*... sdim isie ti weud dim byd...' cysurodd Mair ef.

Yna cydiodd yn ei arddyrnau a'u gwasgu, ac wrth i bawb y tu ôl iddi dynnu anadl siarp, chwerthin wnaeth yr emrallt ar fys Mair.

EISTEDDAI MAIR YN STAFELL aros yr ysbyty a gwaed Dafydd wedi tywyllu ei dillad. Roedd ei arogl yn cynhesu yn y stafell boeth a nifer yn edrych arni mewn braw wrth gerdded heibio. Byseddodd bob cwlwm o'r tsiaen aur yn ei dwylo – y tsiaen a dynnwyd oddi ar wddf Dafydd wrth gyrraedd yr ysbyty. Roedd un o ferched y becws wedi mynd i nôl ei fam, ond arhosodd Mair wrth ei ochr yn yr ambiwlans yr holl ffordd i'r ysbyty. Roedd ei fywyd wedi diferu ar hyd y llawr, o ganlyniad i'r holl glwyfau bach dros ei gorff. Byddai'n rhaid iddyn nhw roi gwaed iddo. Roedd e'n ifanc, fe ddwedon nhw gymaint â hynny, ac yn gryf. Tynnodd Mair yr emrallt oddi ar ei bys, yn ffaelu'n deg ag edrych ar ei gwên dwyllodrus. Meddyliodd am y toriadau bach ar hyd ei groen. Roedd y garreg wedi ei thwyllo wedi'r cyfan. Gwasgodd hi i ddyfnderoedd ei phoced.

Am y tro cyntaf ers i Nanw foddi fe ddechreuodd Mair weddïo gan wasgu'r dolennau bach o dan ei bysedd fel rosari. Caeodd ei llygaid a gofyn yn syml am arbed bywyd y bachgen. Roedd hi wedi ei glwyfo ganwaith 'run peth â'i fam. Gweddïodd am i'w fywyd gael ei achub a gweddïodd am hapusrwydd iddo. Gweddïodd am fywyd heb gysgodion na thywyllwch. Yn wahanol i'r gweddïau hynny y buodd hi'n eu gweddïo yn ystod ei hoes, doedd hon ddim yn weddi hir.

Fe glywodd Mair ddrws yn agor. Rhywun yn rhuthro i rywle. Edrychai corff Dafydd yn llipa, y gwaed yn byllau duon wrth ei ochr gan fod ei arddyrnau wedi eu torri'n arw. Roedd ei groen wedi colli'i liw, ei wefusau'n las a chwys ofnadwy dros ei gorff. Dim ond syllu wnâi e. Syllu fel petai wedi cael cipolwg ar rywbeth rhyfeddol o brydferth neu rywbeth erchyll. Roedd e wedi gweld rhywbeth, gwyddai Mair hynny. Roedd yr un olwg yn llygaid Nanw pan edrychodd arni o dan y tonnau.

Agorwyd y drws unwaith eto. Dim byd. Roedd hi wedi gwasgu'i arddyrnau yn y farced er mwyn atal y gwaed. Gwasgodd yn galed er mwyn achub pob dafn ohono wrth weiddi am help. Roedd ei gnawd yn wlyb a hithau'n galler teimlo'r pŷls yn pwmpio'i waed allan yn ddidrugaredd. Fe garion nhw Dafydd i'r ambiwlans a gadael iddi hi fynd gydag e. Fe glymon nhw ei arddyrnau a gorweddodd yno mewn rhwymau.

Daeth nyrs i chwilio am Mair. Edrychodd arni'n eistedd a'i llygaid ar gau ar y fainc blastig cyn mynd ac eistedd ar ei phwys. Cododd Mair ei phen i edrych arni, a holl ofn y byd yn ei llygaid.

'Ma fe'n neud yn weddol fach… ry'n ni wedi rhoi gwaed iddo fe a ma fe wedi stopio gwaedu… ma fe'n gryf… ma fe'n lwcus. Gaethoch chi afel ynddo fe mewn pryd.'

Tynnodd Mair anadl hir a chuddio'i gwyneb.

'Dewch, dewch nawr… fe fydd e'n iawn. O'dd e wedi bwriadu gneud o ddifrif, cofiwch.'

Edrychodd Mair arni.

''Yn ni'n cal achosion fel hyn… rhai isie help, isie sylw, ond ma rhai wedyn… sydd wedi penderfynu. Bydd angen rhywun i edrych ar 'i ôl e.'

Disgleiriodd llygaid Mair. Nodiodd ei phen.

'Triwch beidio â becso nawr. Fe gewch chi ddod i'w weld e eto mewn sbel fach…' Gwasgodd ysgwydd Mair wrth iddi godi. Adleisiai geiriau'r nyrs drwy ei phen.

'Bydd angen rhywun i edrych ar 'i ôl e…'

Agorodd y drws. Sefai Sara yno, a'i llygaid yn fawr wrth weld y gwaed ar ddillad Mair. Rhedodd ati a chydio yn ei breichiau. Roedd hi'n ffaelu siarad.

'Ma fe'n mynd i fod yn iawn...'

Roedd Sara wedi cael gormod o ofn i greu dagrau. Eisteddodd gan ei bod hithau wedi colli ei holl nerth. Roedd hi'n crynu gymaint nes bod ei gên yn symud.

'O'n... o'n i'n meddwl 'mod i wedi'i golli fe.'

Siglodd Mair ei phen.

'O'n i'n meddwl bydden i ar 'y mhen 'yn hunan...' Cydiai'n dynn yn nwylo Mair. Cododd ei phen a holi, 'Pam?'

Edrychodd Mair arni. ''Na beth o'dd e'n weld...'

'Beth?'

'Cal 'i fwrw... cal dolur...'

Lledodd llygaid Sara. ''Nes i'm cyffwrdd ynddo fe erioed.'

Edrychodd Mair arni'n syn.

'O'dd e'n gweud wrtha i 'i fod e'n ymladd neu'n cwmpo neu diodde rhywbeth o hyd. O'n i'n ffaelu deall... o'dd rhywbeth yn bod arno fe o hyd.' Arhosodd am eiliad ac edrych ar Mair. 'O't ti'n meddwl...' Agorodd Sara'i llygaid yn fawr.

Edrychodd Mair i lawr ar ei chôl. Gollyngodd Sara ei dwylo. Roedd ei thalcen hi'n troi'n gwestiwn. Siglodd Mair ei phen.

'O't ti'n meddwl gallen i fod yn gas wrtho fe?' Poethodd ei bochau. 'Allen i byth... byth neud dim byd i'r crwt 'na...'

Teimlai Mair ryw euogrwydd yn tynnu arni. 'Ma'n ddrwg 'da fi...'

'Esgusodwch fi?' Roedd y nyrs wedi dod 'nôl unwaith eto.

Edrychodd y ddwy arni.

'Gallwch chi ddod i'w weld e nawr... un ar y tro...'

Edrychodd y ddwy ar ei gilydd.

'Cer di… ' meddai Mair.

Cododd Sara ac edrych i lawr arni. 'Diolch…'

Gwyliodd Mair hi'n diflannu drwy'r drws, cyn codi a sefyll wrth y drws ei hun.

Yn y stafell fach roedd Dafydd yn gorwedd ar y gwely, ei freichiau'n rhwymau gwyn, a llinellau cochion yn bwydo gwaed iddo. Agorodd ei lygaid wrth i'w fam agosáu ato. Cydiodd hi yn ei law yn dynn a phlygu i'w gusanu ar ei ben. Roedd dagrau'n llifo i lawr ei bochau. Agorodd Dafydd ei wefusau, ond rhoddodd Sara ei bys arnyn nhw er mwyn ei rwystro rhag siarad. Gorweddai yntau'n ôl gan ryfeddu at y tynerwch oedd yn llygaid ei fam.

Gwyliodd Mair y cwlwm yn tynhau rhyngddyn nhw a theimlo rhywbeth yn raflo'n araf yn ei pherfedd. Meddyliodd am eiriau'r nyrs, 'Bydd angen rhywun i edrych ar 'i ôl e.' Roedd yna ryw benderfyniad newydd yn llygaid Sara, ac am y tro cynta erioed edrychai fel mam yn gofalu ar ôl plentyn sâl. Edrychodd Mair arnyn nhw am yn hir. Cyn i Sara ddychwelyd, troiodd ei chefn a cherdded am y drws. Gollyngodd y tsiaen i gwmpo'n drwm ar y llawr. Gyda'r gwaed yn dal yn dywyll ar ei dwylo, a heb edrych yn ôl, fe gerddodd Mair allan i'r glaw.

'DIOLCH BYTH BO CHI wedi dod 'nôl,' gwenodd y nyrs. Roedd golwg flinedig arni. 'Ma hi wedi bod yn gofyn amdanoch chi bob dydd.'

Nodiodd Mair a gosod y llaeth enwyn ar y cownter er mwyn arwyddo llyfr yr ymwelwyr.

'A gweud y gwir, ma hi wedi bod yn 'yn cadw ni i gyd ar ddihun gyda'i hantics. O'n i'n meddwl na ddethech chi byth a do'dd 'da fi mo'ch rhif ffôn chi.' Tynhaodd brest Mair.

''Ych chi'n gwbod y ffordd.' Roedd y ffôn yn canu a'r nyrs yn prysuro i'w hateb.

Cerddodd Mair i lawr y coridor. Edrychai'r lle'n llai y tro hwn. Roedd llefydd bob tro'n edrych yn llai'r ail dro rywffordd. Gwthiodd y drws ar agor. Roedd hi'n eistedd yn yr un lle'n gwmws. Llyncodd Mair ei phoer a cherdded yn araf ati. Syllai allan ar yr ardd a wnaeth hi ddim symud ei phen wrth i Mair agosáu ati. Eisteddodd yn y gadair ar ei phwys, lle arhosodd y ddwy mewn tawelwch am hydoedd.

'Annaturiol, on'd yw e?' meddai'r hen wraig heb edrych arni. Dilynodd Mair ei llygaid. Roedd yna löyn byw yn gorffwys ar un o rosynnau ola'r flwyddyn.

'Ma'r tywydd wedi bod mor dwym eleni,' atebodd Mair o'r diwedd. Roedd llais ei mam ychydig yn wannach heddiw. 'Yr un haul sy'n sychu eu hadenydd pan ddôn nhw mas ag sy'n dwyn eu lliw nhw wedyn pan fyddan nhw ar ben.'

Crynai'r hen wraig yn waeth y tro hwn a hithau'n canolbwyntio ar ryw boen ymhell y tu mewn iddi. Edrychodd y ddwy ar y glöyn byw. Roedd ei hanadlu'n llesg a'i chroen yn sych.

'O'n i'n arfer astudio'r pethe 'ma…' meddai hi wedyn. 'O't… o't ti'n gwbod bod 'na löyn byw sy'n dodwy wy mewn nyth morgrugyn?'

Edrychodd Mair arni'n syn. Roedd ei meddwl hi'n amlwg yn llai sigledig.

'Ma hi'n gadael yr un bach yno.'

Tynnodd Mair anadl boenus. Teimlai ryw nerfau ofnadwy'n tynnu ar hyd ei pherfedd. Doedd ei mam ddim yn edrych arni. Estynnodd am ei llaw a chydio ynddi'n dynn, dynn.

'A ma rheiny'n ffoli arno fe ac yn edrych ar ei ôl e fel petai'n un ohonyn nhw…'

Edrychodd Mair ar y sgrap o liw ar y blodyn y tu allan.

'A ma nhw'n tendio'r un bach, yn ei gadw'n lân ac yn gofalu ar ei ôl e, er nad yw e'n edrych yn debyg iddyn nhw o gwbwl. Ma nhw'n fodlon ei amddiffyn e gyda'u bywyde…' Roedd ei llygaid yn dyfrhau a dihangodd deigryn unig i lawr ei boch. 'A fel 'na ma nhw'n byw… yn twyllo rhai erill er mwyn cael y gore i'r un bach…'

Edrychodd Mair ar ei dwylo yn un cwlwm dierth. Edrychodd Eunice ar Mair o'r diwedd. Edrychodd hithau'n ôl ar ei mam.

'Fe ges di le da, 'yn do fe? 'Na'r unig ffordd y gallen i fyw gyda'n hunan – 'na pam ddewises i'r offeiriad.'

Chwiliodd llygaid ei mam ei gwyneb yn daer. Meddyliodd Mair am bob cam, am bob croes y bu'n rhaid iddi ei chario erioed. Cofiodd am bob gweddi ar bob llawr caled. Cofiodd am bob cosb, am bob edrychiad, gan ddyn na allai ddeall anghenion merch ifanc. Cofiodd amdani hi ei hun yn chwarae'n unig yn yr ardd fawr. Roedd ei mam yn dal i edrych arni.

'Do,' meddai hi o'r diwedd.

Setlodd rhyw dawelwch rhwng y ddwy. Roedd bochau Mair yn llosgi.

'O'n i lico'r enw gest ti.'

Nodiodd Mair.

O'n i'n ei garu fe – dy dad – ond o'n i'n briod. Da'th 'y ngŵr i 'nôl o'r rhyfel ac… o'n ni mor ifanc pan o'dd e yn ei iwnifform a phopeth. Ond fe dda'th e 'nôl a do'dd pethe ddim 'run peth wedyn… o'dd e ddim yr un dyn… bant trwy'r amser 'da'r gwaith… dim dal lle'r o'dd e o un mis i'r llall. Gwrddes i â rhywun arall… ond gorffes i dy adel di – neud y peth iawn… '

'Gadel babi?'

'Wrth gwrs…'

Roedd ei mam wedi ymarfer y geiriau roedd hi newydd eu dweud wrthi ers dros drigain mlynedd. Yn ei breuddwydion, roedd hi wedi gweld ei merch ac roedd hi'n gwybod yn gwmws beth i'w ddweud. Yr hyn na wnaeth hi ei gyfaddef, wrth gwrs, oedd bod ei chariad wedi priodi â rhywun arall ar ôl iddi hi ballu â gadael ei gŵr. Ychydig flynyddoedd wedyn gadawodd ei gŵr hi am ryw ferch yn y gwaith. Yn glou iawn ar ôl hynny, fe ddechreuodd iselder gael gafael ynddi a chyn hir câi ei symud o un cartref i'r llall.

Roedd 'na gymaint o bethau yr hoffai Mair eu gofyn iddi, ond allai hi yn ei byw â chofio 'run ohonyn nhw ar y funud. Roedd llygaid ei mam yn llenwi â niwl unwaith eto.

''Yf fi'n falch bo ti wedi dod,' meddai hi gan wasgu bysedd ei merch yn ei rhai hi. 'Falch bo ti wedi dod.'

'Pam… ' agorodd Mair ei cheg.

Edrychodd Eunice arni.

'Pam adawoch chi neclis amdana i?'

Roedd Mair wedi pendroni ar hyd y blynyddoedd ynghylch y

frwynen a adawyd am ei gwddf. Roedd yna syfi wedi'u gwthio fel perlau cochion ar ei hyd, a honno wedi'i chlymu mewn cwlwm am ei gwddf. Roedd y mefus bach gwyllt wedi meddalu ac wedi chwalu a'u cnawd coch yn waedlyd felys ar hyd ei gwddf pan ffindion nhw hi. Fe feddylion nhw i ddechrau ei bod hi wedi'i hanafu.

Gwenodd ei mam. 'O'n ni'n cwrdd ar bwys y rheilffordd… o'n ni'n eu casglu nhw 'da'n gilydd. Bryd 'ny, gan dy fod ti'n edrych mor fach ac mor bert, do'n i ddim isie i ti fy ffindio i byth bythoedd. Petawn i wedi rhoi neclis iawn…'

Meddyliodd Mair am y neclis fach o ffrwythau cochion a gwenodd.

'Ma hi bwti bod yn amser cinio… ' meddai ei mam unwaith eto.

'Ody,' atebodd Mair.

Edrychodd y ddwy ar y glöyn byw ac fe gododd honno oddi ar y rhosyn gan hedfan yn anwadal ar hyd yr ardd. Troiodd ei mam a gwenu ar Mair.

'Well i fi fynd… ' meddai Mair. Cododd ar ei thraed. Roedd llygaid ei mam yn dal yn bell i ffwrdd ond roedd ei chorff wedi llonyddu damed.

''Yf fi wedi blino,' meddai Eunice gan godi'i llaw a thynnu Mair yn agosach ati. Edrychodd i fyw ei llygaid, 'wedi hen flino.'

Cytunodd Mair mewn tawelwch a phlygu i blannu cusan ar foch ei mam. Cododd honno ei llaw a gwasgu'i boch yn erbyn boch ei merch. Sefodd y ddwy am amser hir a'u dagrau'n cymysgu. Teimlai'r ddwy yn fwy byw nag a wnaethon nhw erioed yn eu bywydau.

PENNOD 38

Agorodd Mair ei llygaid. Roedd golau gwyn y bore'n goleuo'r stafell a'r gorwel i'w weld yn glir. Cododd oddi ar y gwely bach. Teimlai'r tŷ yn oer, a'r ffenest yn sgwaryn o lwyd golau. Byseddai golau'r hydref y byd yn dyner a dyfroedd dwfn y môr yn sgleinio'n lliwiau'r saffir. Tynnodd y dillad roedd hi wedi eu paratoi'r noson cynt oddi ar y gadair a gwisgodd yn gyflym. Rhwbiodd ei breichiau wrth wneud a gwylio'i hanadl yn wyn yn y bore main. Gwisgodd ei hesgidiau a thynnu crib o'i bag a'i thynnu trwy'i gwallt. Aeth allan o'r stafell gan fynd â'r cês gyda hi a gadael y drws ar agor.

Aeth i'r stafell orau ac edrych o'i chwmpas. Agorodd hen focs teganau Nanw ac edrych ar y bocs bach lledr oddi mewn. Cododd ef allan, a'i gario'n dynn wrth ei brest gan anelu am y drws mas. Rhoddodd law ar ddolen y drws a sefyll yno am eiliad. Roedd y bwthyn yn gragen wag y tu ôl iddi ac fe allai glywed sŵn y môr y tu allan. Agorodd y drws a sefyll ar y stepen am hydoedd. Roedd y gwlith yn gwneud i'r borfa ddisgleirio fel pe bai rhesi o berlau bach bach yn cuddio ym mhob gwelltyn. Buodd y corynnod yn brysur dros nos hefyd gan daenu dafn ar ôl dafn o sidan sgleiniog dros y byd nes bod y tir yn morio o dan donnau disglair. Meddyliodd Mair ei bod hi bron yn amhosib gweud ble roedd y môr yn gorffen a'r tir yn dechrau. Cododd ei bag a thynnu anadl hir cyn cau'r drws ar ei hôl. Aeth i mewn i'r car. Fe fyddai'r sêl yn dechrau ymhen rhyw awr.

Gwerthwyd y gemau i gyd a'u gwasgaru dros y wlad. Fflachiodd pob un eu lliwiau yn nwylo'r arwerthwr, y saffir anferth a'r diemwntau rhewllyd. Chwalwyd pob stori ac anghofiwyd pob adduned a roddwyd ar eu hysgwyddau. Gwenodd y gemau ar eu perchnogion newydd fel y bydden nhw'n ei wneud dro ar ôl tro, a'u caledwch yn amgylchynu'r cnawd brau a fyddai'n eu cario. Gwerthwyd y fodrwy a brynodd Mair gan yr hen ddyn tawel a gwahanwyd y broetshys. Pan gododd yr arwerthwr y fodrwy emrallt uwch ei ben, fe allai Mair weld ei gwyrddni'n denu'r llygaid ac yn dechrau swyno. Edrychodd hithau i ffwrdd a gwenu wrth i'r pris godi a'r awch amdani'n llenwi'r stafell. Sefodd Mair wrth y drws nes bod yr ymryson ar ben ac aeth i gasglu'i harian. Gwthiodd hwnnw i'w phoced cyn cerdded allan o'r neuadd a sefyll am eiliad wrth y drws gan edrych ar y byd yn dechrau dihuno.

Wrth i Mair gerdded heibio i'r farced newydd, welodd hi mo Eirwyn ar ei stondin newydd. Roedd y ganolfan yn anferth ac roedd ganddo bellach fwy o le i arddangos ei dai bychan yn ei safle newydd. Ychydig iawn o'r hen farced oedd ar ôl, a'r bobl yn tyrru ac yn rhuthro heibio i'r fainc lle eisteddai Ieuan ar ei ben ei hun yn gwylio pawb yn hastu i rywle. Roedd Eirwyn wedi cyrraedd yn gynnar, gynnar heddiw gan fod y tŷ yn barod ac yntau eisiau ei leoli a'i berffeithio cyn byddai'r dorf yn cyrraedd. Roedd wedi bod yn gweithio bob awr o'r dydd a'r nos i'w orffen a bellach roedd ei lygaid yn dyfrio yn y golau gwan.

Cariodd y tŷ o'r car a blanced drosto i'w amddiffyn. Gosododd ef ar ganol ei stondin a thynnu'r flanced. Gwenodd. Chwiliodd am y plwg a gwasgu hwnnw i'w le. Agorodd flaen y tŷ ac aildrefnu ambell ddodrefnyn a oedd wedi llithro wrth i'r tŷ gael ei symud. Rhoddodd y seddi'n ôl ar bwys y lle tân ac ailosododd ambell jwg ar fachyn. Sythodd y cloc bach perffaith a'r gemau'n disgleirio ar ei wyneb. Daliai hwnnw i gerdded yn urddasol, a'i sŵn cysurus yn llenwi'r tŷ. Yna, sefodd yn ôl. Roedd popeth yn ei le. Pwysodd ar y swits a thynnu anadl hir o waelod ei enaid wrth ei oleuo. Edrychai'r tŷ'n berffaith, yn fyd bach ar ei ben ei hun rhwng yr allweddi a'r esgidiau dierth. Gwenodd Eirwyn wrth edrych ar y stafell fyw a'r golau cynnes. Roedd mat o flaen y tân a stôl, ac ar y stôl gyda chath yn ei chôl eisteddai menyw. Anwylodd Eirwyn ei gwyneb am eiliad a throi ei ben. Roedd hi'n fodel cywir iawn ohoni. Yr un sbit. Yn eistedd yn y cartref cynnes, a'i llygaid yn disgleirio yn fflamau'r tân, roedd gwyneb Mair, yn wên i gyd.

ROEDD HI'N NOSON FRWNT ac wedi tywyllu'n barod wrth i'r gwynt gario'r glaw mân. Gwthiodd Mo y drws ar agor. Roedd y gaeaf wedi cyrraedd a'r dail crin yn crynhoi ar stepen y drws. Cynigiodd Dai ddod gyda hi, ond fe fynnodd ei fod yn well ganddi weithio ar ei phen ei hun. Roedd y stafelloedd yn go wag eisoes er bod peth celfi ar ôl. Tynnodd anadl hir cyn dechrau a byseddodd y sialc yn ei llaw. Goleuodd ei lamp a cherdded i'r dde i stafell fach gyda ffenest yn edrych mas dros y môr. Roedd yna focs teganau dwfwn yn y fan hyn a hen ddesg weithio. Croesodd y ddau gelficyn â sialc. Edrychodd ar y croesau yn y gwyll am amser hir cyn eistedd yn y gadair bren ar bwys y ffenest am sbel yn gwylio'r glaw'n disgyn trwy'r tywyllwch.

Meddyliodd am yr holl dai y buodd hi a Mair yn eu clirio dros y blynyddoedd. Rhai'n grand a rhai'n dlawd, a phob un ohonyn nhw angen help Mo a Mair i glymu eu bywydau'n gwlwm taclus. Ond roedd rhai'n hawsach eu clymu nag eraill. Cododd a rhoi croes ar y gadair wedyn cyn cerdded ar draws y coridor cyfarwydd ac i'r stafell wely fach. Roedd hi'n syndod pa mor fawr yr edrychai stafelloedd pan fydden nhw'n wag. Roedd y droriau i'w gwerthu, wrth gwrs, a'r gwely bach yn y cornel. Rhedodd Mo ei bys ar hyd gwaelod gwely Mair.

Roedd Mair wedi cyfnewid y perlau gwydr lliwgar gyda Mo'n ddoeth. Ond, petai Mo'n gwybod mai dyma'r fyddai'r gymwynas am eu cael, fyddai hi byth wedi cytuno. Ond bargen yw bargen. Edrychai o'i chwmpas pan ddaliodd bocs bach ar y silff ben tân ei sylw. Rhoddodd ei lamp i sefyll ar y silff ben tân. Cydiodd Mo ynddo ac eistedd ar y gwely a'r bocs bach o felfed tywyll yn ei llaw. Agorodd y caead. Taflai'r golau gysgodion ar hyd y stafell wely fach, ac am eiliad roedd Mo'n sicr iddi weld siâp cawell neu gaets wrth y ffenest. Crynodd. Sibrydai'r fodrwy ruddem wrthi o'i nyth felfed – rhuddem glir a'i lliw yn ddwfwn ac yn dywyll.

Cydiodd Mo ynddi. Doedd hi ddim wedi derbyn rhywbeth fel hyn erioed o'r blaen. Gosododd hi am ei bys. Roedd hi'n ffitio'n berffeth. Cododd ei llaw ac edrych arni a golau'r lamp yn dal ei honglau gan wneud iddi wincio yn y tywyllwch. Teimlai Mo'r dagrau'n cronni, ond fe wasgodd nhw yn ôl. Roedd hi wedi mynd ag arian yr emrallt i'r Cartref er mwyn sicrhau bod Eunice yn cael aros yno, fel y gofynnodd Mair iddi wneud. Edrychodd Mo o'i chwmpas yn y tywyllwch. Roedd hiraeth yn llenwi pob modfedd ohoni a gwingai'r tŷ fel calon wag. Byddai Mair yn gwmni iddi yn y cysgodion am byth.

Gwelodd Mo olau'n goleuo'r hewl a chlywodd gar yn stopio y tu allan. Clywodd sŵn traed a thynnodd anadl siarp. Gwthiodd rhywun y drws ar agor a chododd ar ei thraed mewn ofn.

'Mo?'

'Dai?' Roedd rhyddhad yn llenwi'i llais. Daeth yntau i mewn a chwdyn yn ei law. Eisteddodd y ddau ar y gwely am yn hir. Gwrandawodd Dai ar dawelwch anarferol Mo. Estynnodd yn lletchwith draw trwy'r tywyllwch a chydio yn ei llaw.

''Yf fi wedi dod â 'bach o fwyd i ti. Cwpaned... tamed o gacen...'

Nodiodd Mo a gwenu trwy ei dagrau wrth wasgu ei law'n dyner.

Ar ôl i'r ddau fwyta, fe gododd Mo, a chyn i'r dagrau gael y gorau arni hi ysgwydodd ei hysgwyddau a phlygu'i chefn. Aeth i'r car i nôl y sachau duon. Cydiodd mewn brwsh llawr a'i phethau glanhau a gyda'u calonnau'n drwm fe gliriodd Dai a Mo y bwthyn bach unig ar yr hewl ar lan y môr.

Ymhell i ffwrdd golchai merch ifanc y llawr. Roedd hi wedi golchi'r gwaed oddi ar ei phengliniau ac wedi taflu'r tywelion i mewn i sach ddu. Bellach, roedd wedi ymlâdd a hithau wedi bod yn llafurio ers oriau. Crynai ei breichiau a chwys yn blastar ar ei thalcen. Sychodd y llawr yn lân a cherdded i'r unig stafell arall yn y fflat. Edrychodd ar y cloc. Roedd hi'n ganol nos. Daeth y sŵn gwan i'w chlustiau o gyfeiriad y gwely. Cerddodd yn ôl ac ymlaen ar hyd y stafell.

'Shshshshsh… shshshshsh…'

Roedd hi'n gwylltio a phob rhan ohoni eisiau dianc. Gwasgodd ei dwylo at ei gilydd. Clywodd y sŵn llefen unwaith eto.

'Shshshshshsh… shshsh, gariad bach…'

Edrychodd ar y gwely. Roedd hi wedi ceisio ei ymolchi ond roedd yna ddarnau o felyn yn dal i lynu wrth ei wallt. Roedd e'n noeth, a'i gorff yn gwingo yn nillad y gwely. Cododd y bachgen bach a'i lapio mewn hen got. Roedd e'n ysgafn a'i lefen yn gwanhau. Gwisgodd ei chot a'i chap ac agor y drws. Gwasgodd fotwm y lifft a sefyll yno heb edrych ar yr wyneb yn ei dwylo. Gadawodd y bloc o fflatiau a cherdded ar draws y parc. Roedd goleuadau oren yn bwrw gwrid cynnes i'r awyr. Teimlai'r corff bach yn symud yn ei dwylo. Aeth rhyw ofn dwfn drwyddi. Doedd ganddi ddim teulu. Neb i ymddiried ynddyn nhw. Roedd yr ardal yn newydd iddi a'i chariad wedi ei gwrthod, yn gwbod bod 'na fabi ar y ffordd, siŵr o fod. Ceisiodd beidio â gadael i'r gwichiadau bach gyrraedd ei chalon. Byddai'n cael lle da. Rhywle gwell.

Cerddodd Catrin ar hyd y stryd a gweld y siop papurau newydd. Roedd honno ar agor y peth cynta yn y bore, yn gynt nag unrhyw siop arall. Fe fydden nhw'n sicr o ffindio'r babi. Mynd ag e i'r sbyty. Edrychodd o'i chwmpas a gwasgu'r babi at ei mynwes am y tro ola. Rhoddodd ef i orwedd ar stepen y drws, i mewn yn ddigon pell fel na fyddai'n cwympo oddi arni. Troiodd ei chefn ar fabi Dafydd a thynnu'i chot yn dynnach amdani gyda'i bol yn gwegian yn wag.

Wrth i Catrin gerdded i ffwrdd yn y tywyllwch, distewodd llefen y babi. Roedd e'n oeri a'i lygaid newydd gleision yn brwydro i agor. Cronnai'r cymylau duon uwchben a'i wddf bach yn feddal ac yn loyw yn y gwyll. Crynai ei enaid gan fywyd ansicr ac estynnodd ei freichiau bregus allan cyn i'w holl gorff wingo. Edrychodd i fyny a syllu, wedi ei swyno'n llwyr, ac fe wenodd wên fach yng ngolau didrugaredd y sêr.